石垣島天文台と天の川の中を流れる火球

宮古島の来間大橋と天の川

波照間星空観測タワーと天の川。流れ星や人工衛星も見える

夜を彩るサガリバナと天の川（石垣島平久保）

カヤマ（嘉弥真）島の天の川

石垣島名蔵湾の梅雨明けの天の川

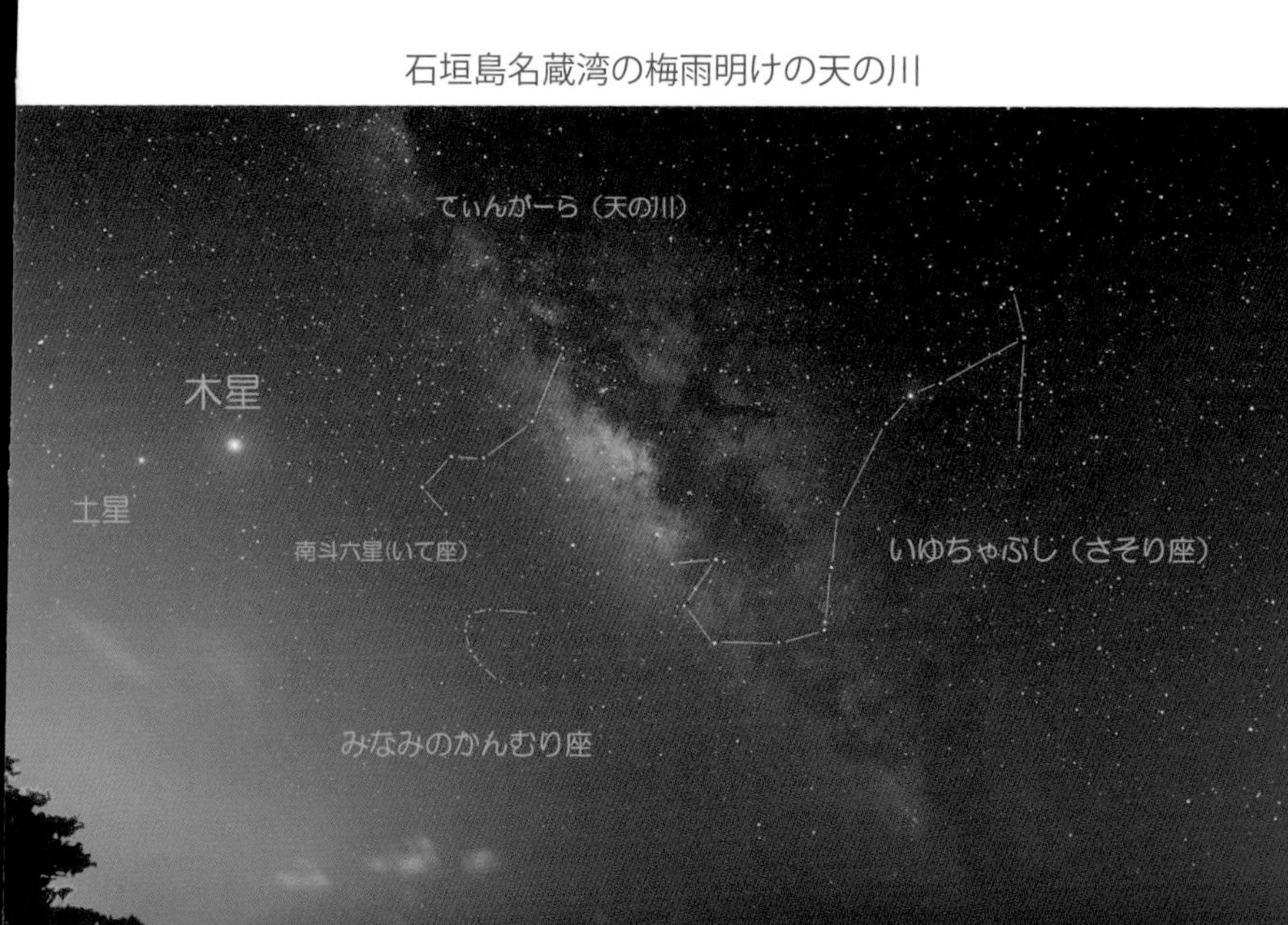

西表島と鳩間島の間に沈む夕陽（石垣島名蔵湾）

月の光がつくりだす夜の虹「月虹（げっこう）」（撮影：石垣島天文台）

←夕暮れの三惑星

竹富島の星見石

辺戸岬から見える聖地・安須森（大石林山）と天の川

星の旅人

沖縄の美ら星に魅せられて

宮地竹史

沖縄タイムス社

巻頭言

宮地竹史さんのこと

NPO法人　東亜天文学会
理事長　山田　義弘

２００６年3月12日、国立天文台が沖縄県の八重山諸島、石垣島の前勢岳山頂に建設した石垣島天文台の完成記念式典が開かれた日、私は宮地竹史さんに初めて出会った。

そもそも、この出会いのキッカケを作ってくれたのが、国立天文台長（当時）の海部宣男さんであった。式典の2、3週間前、海部さんから「近々、石垣島に開設する天文台の完成記念式典があるが、一緒に行かないか」とのお誘いがあり、私は喜んで出席する旨を伝えると、数日後に国立天文台の事務方から招待状が届いた。

国立天文台ＶＥＲＡ（ベラ）石垣島観測局の立ち上げのため、国立天文台の野辺山宇宙電波観測所（長野県南牧村）から異動して来た宮地さんは、今や日本最大の星のイベントとなった「南の島の星まつり」を興し、その数年後には、石垣島天文台を完成させ、天文台運営の多くを任されるようになった。

彼は発想豊かなアイデアマンであり、次から次へと天文台事業を具体化させた。たとえば、２０１４年2月の北海道なよろ市立天文台との交流協定の締結であり、私は以前から同天文台の名誉台長に就任していたので、石垣島天文台所長の宮地さんとは、比較的スムーズに連携でき、協定にこぎつけることができたと思っている。日本列島の北と南にあり、大型望遠鏡を有する二つの天文台が、両地域の特性を生かし、相互理解を深めつつ、地域の文化や観光物産の交流などを推し進めていった。

その交流を進める中、「南の島の星まつり２０１４」の期間には、沖縄県内では最大規模の隕石展を八重山博物館で開催。石垣市内のホテルを会場にした記念講演会「地球にやってきた星、隕石」は、私が講演を任された。

また、２０１５年9月には、私が管理運営委員長をしている鳥取市さじアストロパーク・佐治天文台から、宇宙メダカをプレゼントされることになり、宮地さんは、この贈呈式に、石垣島から臨み鳥取市長から宇宙メダカ８匹を贈呈された。これらの広がりは、宮地さん発案の交流協定の成果だと思っている。

宮地さんは、沖縄、八重山の島の人々の暮らしと星々が古くから深く関わりを持っていることに興味を持ち、国立天文台での仕事の合間や退職後に、島の人々から折に触れ聞き取り調査を続け、地元紙のコラムを担当し、島の人々の生活と星の関わりをエッセイとして載せ、紹介してきた。星にまつわるいろいろな言い伝え、民話、四季の農作物に対する手のかけ方などを、興味深く書いている。

この島々に伝わる星の名前に、むりかぶし（群星＝すばる）があり、これは石垣島天文台の大型望遠鏡の愛称にもなっているが、「にぬふぁぶし（北極星）」とか「てぃんがーら（天の川）」というのもあると、宮地さんから教わった。美しい言葉だ！

このたび、出版される本書『星の旅人』は、石垣島天文台のむりかぶし望遠鏡やVERA石垣島観測局の電波望遠鏡と、島の人々との楽しい関わりなど、石垣島での生活を大いに満喫している宮地さんの日々の暮らしが垣間みえ、たいへん興味深い構成となっている。

〝天文屋〟が書いた沖縄、八重山の星、島人との人情味あふれる交流の日々を書き綴った本格的な本は、おそらく初めてだと思う。八重山の人々の自然との共存の仕方を教えてくれる良書である。親しみやすい内容なので、本棚の隅にちょっと置きたい一冊だ。

２０２０年10月

まえがき

気がつくと古希を迎えるまでになっていた。国立天文台を退職して数年経つが、その前身の東京天文台に入台したのが20歳だったので、ほぼ50年を天文台で過ごしたことになる。その中でも、石垣島での暮らしは20年余りで最も長くなった。

この間、石垣島など八重山諸島の島々だけでなく、沖縄本島のやんばるや、故郷の高知などでも星のお話をさせて頂く機会があった。出かけると、新しい星にまつわるお話が聞けたり、思わぬ出会いがあったりして、これまた知識が増え楽しい。

そんな中で２０１８年、沖縄タイムスのコラム『唐獅子』への執筆のお話があり、7月から12月までの13回分を引き受け、星空をテーマに書かせて頂いた。八重山諸島、沖縄の星空は美しいだけでなく、うちなー（沖縄）独特の星名や星にまつわる民話や伝承など興味深い話が数多く残っており、それらの紹介もさせて頂いた。

連載中も、書き終えてからも、知人などには思ったより好評で、気をよくしていたら、今回さらに「今まで書いた分も合わせて本にしませんか」とのお話があった。古希を迎え、お世話になった方々への感謝を込めた報告書になるかなと、心が動いた。

振り返ると、20年ほど前に国内4か所に口径20メートルの電波望遠鏡を建設する話が持ち上がり、長野県の野辺山宇宙電波観測所を離れ、このプロジェクトに参加することになった。石垣島は他の3か所から1年遅れで、2002年の完成となった。その年に南の島の星まつりを開催し、2006年には石垣島天文台を建設するまでになった。

そして、沖縄の美ら星、星空を観光資源にしようと提案し、星空の紹介や星空案内人の育成講座などもさせて頂いた。海洋博公園の海洋文化館のリニューアル時には、プラネタリウム番組を監修させて頂き、沖縄の星名や星の民話なども紹介するようにした。今や星空観光も定着し、2018年に沖縄県から観光功労者表彰をして頂いた際は感慨深いものがあった。2019年には、念願のプラネタリウムも石垣島にオープンした。

琉球新報の『南風』、八重山毎日新聞の『日曜随筆』などのコラムにも、同じように書かせて頂いた。沖縄タイムスの『唐獅子』と合わせて読み直してみると、島の美しい星空のこと、天文台での出来事など、その時々の感動や想いも甦(よみがえ)ってくる。

本書では、沖縄だけでなく、ゆく先々での小さな星の物語も綴っています。題名「星の旅人」は、石垣島で古い星名や星座名についてご教示願っている小説家の竹本真雄氏から頂いた。国内、海外のいろいろな場所に出かけて、望遠鏡の建設や運用、観測などに携わってきた私をこのように表現してくれた。

まずは目次で関心を持たれたところから、お読み頂ければ幸いである。

宮地竹史

「銀河鉄道の夜」を彷彿させるカヤマ（嘉弥真）島の天の川

目次／星の旅人　—　沖縄の美ら星に魅せられて

南の島の星まつり

II　美ら(ちゅ)星の魅力

秋の月星

冬の星空

カバー、口絵、本文中の写真のうち、特に撮影者を明示していない写真は全て筆者撮影。

序章　「星国」八重山に魅せられて

星の邂逅

2010年3月31日　総合文芸誌『邂逅』

島の文芸誌「邂逅」と出会って、4年以上も経っている。「何か書いてください」と言われ気軽に引き受けたが、その後に頂いた「邂逅」15号を読んで、驚いた。なんとこの「邂逅」の、同人誌たること、文芸誌たることとか。正直、まだこんな形で発行されている同人誌があるということに驚いた。こんな格調高い同人誌には、ちょっとやそっとでは、書けないと思った。

そして、もうひとつ驚いたのは、表紙の大きく印刷された「邂逅」という誌名だった。石垣島に来た頃、例によって美崎町の居酒屋で酒の肴に、趣味の話をしていたか何かで、「宮地さんも一度、『かいこう』を読まれた方が良い」といわれた。その時、僕はなぜか誌名の「かいこう」は、「海溝」と書くのだとだと早合点し、ずっとそう思い込んでしまっていたからだ。

幾多の苦難の歴史を持ち、大海に浮かぶこの沖縄である。連なる島々に寄り添うように、沖縄の人々の長い歴史が、撃沈された戦艦大和と共に眠る深い深い海溝が思い浮かんだのだ。島に打ち寄せる黒潮の大海の下、この海溝の底から湧き上がってくる海洋深層水の流れに乗って、沖縄の心はいつも届けられている。そんな沖縄の同人誌は『海溝』でなければ、ならない！　と、勝手に思い込んでしまっていたのだった。

石垣島に来たのは、１９９９年11月である。もう10年になる。後で、「世の中は狭いなあ」ということで、知り合うことになるが、「邂逅」に執筆されている安藤由美子さんも暮していた長野県の野辺山高原で、僕はまさに青春時代の後半を懸けて、世界の最先端を行く野辺山宇宙電波観測所の建設に参加していた。観測所は完成し、電波望遠鏡も立ち上がり観測が始まり、次々と「世界初」の形容詞がつく研究成果も順調に出始めていた。

野辺山高原は、冬は気温がプラスにならない日が続く極寒の地であるが、10年も暮すと「住めば都」で、ゆくゆくはこの地に居を構えても良いかなと思い始めていた。そんな矢先に、国立天文台のＶＥＲＡ（ベラ）計画の予算がいよいよ認められそうだということで、野辺山宇宙電波観測所から誰か応援に行けということになった。当時、この計画は岩手県水沢市（現在、奥州市）に拠点を持つ「地球回転研究系」のグループが推進していた。そこに参加する「誰か」が、僕となった。

標高１３５０メートルの野辺山高原から東京に戻って、まだ水のまずさに慣れる間もなく、ＶＥＲ

Aのプロジェクト長から、「今、望遠鏡の建設場所探しで、石垣島に何人か行っているが、君も応援に行ってくれ」という指示が突然にきた。そこそこの旅行支度をして、飛行機に飛び乗ってやってきたのが、石垣島であった。

実は、石垣島は1970年の夏に来ている。学生時代である。この時代、学園闘争で大学が封鎖されたりしていた。いろんな集会に誘われて「ベトナム戦争反対」「沖縄を返せ、本土復帰実現！」などを叫んだりもしていた。一方、友人と「今のうちに、日本の北の端と南の端に行ってみよう！」と、アルバイトで一眼レフカメラを買い、旅費を貯めた。緑色のパスポートに「日本国からの出国を証する」との印を押してもらって、初めての「海外旅行」となったが、テントを担いでの旅だった

初めての沖縄では、畑の間を真っすぐ伸びる珊瑚を敷き詰めた真っ白い道を歩くことが多かったが、ザワワ、ザワワ、ザワワとサトウキビを揺らしながら、通り抜ける風の心地よさは今でも憶えている。

そして、10年経った。30年ぶりの石垣島にも、この風景は残っていて、青春時代を思い出しながら、今度はレンタカーでサトウキビ畑の間を走り抜け、先発隊が待っているホテルへと急いだ。

VERA計画では、国内4か所（石垣島の他に、岩手県奥州市水沢、東京都小笠原村父島、

鹿児島県薩摩川内市入来）に観測局を置く。僕の仕事としては、これらの電波望遠鏡や観測システムの建設から完成までの面倒をみなければならないが、美崎町でも「島の人と思っていたわよ」といわれるくらい石垣島べったりになっている。

それは、なぜなんだろう。もちろん仕事でもあるのだが、僕をそうさせてきた何かが他にもあるのだろう。この10年、東京に暮していても経験できないような、多くの人との出会いがあった。その一つ一つの出会いが不思議な感動を与えてくれる。

星の邂逅――広大な宇宙で星と星が出会うこと、それは稀（まれ）であり、貴重な出来事である。星の邂逅のような人との出会い、そんな感動を綴ってゆこうと思う。まずは、こんなことを書くはめになった「邂逅」との出会いがあったということだ。

南十字星

2011年3月1日　総合文芸誌『邂逅』

「そういうことは、Tだな」、市役所のSさんに、仕事を離れてまず紹介してもらったのが、八重山星の会会長のTさんだった。

VERA（ベラ）の建設場所探しやインフラ整備、用地確保の手続きなどで、Sさんにはいろいろと教えてもらっていたが、もうひとつ頼みたい事があった。

せっかくの国立天文台の施設なので、島の天文ファンの方々に利用して頂き、星空観望会などをいっしょにおこない、子ども達や市民の方に、天文学に親しんでもらえればという思いがあった。

Sさんに相談すると、開口一番「Tだな」との返事。すぐに会う時間と場所をアレンジしてくれ、「いつもの所へ、8時に行けば、会えるから」という連絡が来た。

石垣島は、太陽の沈むのが遅い。明るいからと思っていると、あっという間に夜の7時、8

時になっている。しばらくは島の時間感覚を掴むのが大変だった。この日も、気がつくともう7時近くなっていて、あわててホテルに帰り、車をおき、すぐに出かけた。

「いつもの所」とは、Sさんと最初に飲んだ美崎町のビルの下にある小さなスナックだ。その時は、7時過ぎくらいに行ったが、店の女の子に「何しに来たの？」という顔で迎えられた。とりあえず、「生」を注文してカウンターに座ったが、「ビール？」とめんどくさそうに樽をカウンターの中におき、管をつないで、ジョッキにビールを注いで、「この時間だとビールしか用意できないけどね」とカウンターに置いた。一口飲んで話を聞くと、美崎町のスナックで飲むのは、普通は夜の8時過ぎからだという。「内地の人のようだから、仕方ないか」ということだった。

今回の「8時に」というのも、なるほどと思った。約束の時間に少し遅れ、急いで店のドアを開けて入った。「こんばんは」と声を掛けようとしたが、奥で調理をしているのか、店の娘は誰もいず、カウンターの中央の席にパンチパーマの黒いジャンパー着た男が大きな背中をこちらに向けて座っていた。

その手の人か？　ちょっとまずいなぁと思いつつ、恐る恐る中に入ると、ちょうど奥から店の娘が出て来て、「宮地さん！　お待ちかねよ」と、手のひらでその男を指した。

それがTさんだった。思わずほっとして、「天文台の宮地です」と、声を掛けた。カウンターの男が、やっと体をこちらに向け、「あ、あー、Tです！」と、頭を下げた。一見、北朝鮮の金正日(キムジョンイル)を思わせる顔立ちだが、少し緊張しながらも、とても嬉しそうな笑顔であった。

自己紹介をすませ、目的や経緯などをお話し、星の会の活動についてお聞きした。Tさんは、大変熱心に会の状況や活動を紹介してくれたが、八重山の星の話になると、さらに力が入った。天文少年がそのまま大人になったという感じだ。実際話を聞いてみると子どもの頃からの天文ファンで、仕事についてからも、転勤する先々で天文同好会を作ってきたという。年季が入っている！　そう思った。しかし、この大男が星を語ると子どものようになるのが、少しおもしろかった。

しばらくは、この店がTさんとの懇親場所になった。会えば、八重山の星と彼の自慢話になるが、ある夜、「南十字星を見たことがありますか」という。

星座早見などで見える地域であることは分かっていたが、本土でも話題となるカノープス（南極老人星）と同じで、水平線近くの星は、実際はなかなか見えない。Tさんは「皆さん信用しないので、昔、写真を撮って新聞に載せたことがあるのです。それからですよ、石垣島でも見えると言われ始めたのは」、また自慢話になった。「一度見てみたいものですね」と、その時は答えておいた。

東京に戻ってしばらくして、夜の10時頃に電話が掛かってきた。「Tです。宮地さん、南十字星が見えています。すぐ見に来てください！」というのだ。星の会の事務局長のAさんもいっしょのようで、電話を替わって「早く来た方が良いですよ」とのこと。「すぐ来い」は、冗談だろうと思うのだが、Tさんは真剣である。「連休明けには、島に出かけますので、その時に見せてください」と応(こた)えたが、電話の向こうで残念がっていた。

10日ほど後に石垣島に出かけ、早速に電話をした。「今夜も、見えますよ。行きましょう」という返事だ。TさんとAさんが、ホテルに車で迎えに来てくれた。車は、市街地を離れ、浄水場の北から東の方に曲がり、両側が畑の真っ暗な道を走った。Tさんが「ここらで、ないかぁ？」とAさんにいう。畑に入る農道に車を入れて、車のライトを消して、外に出る。漆黒の闇の中で、遠くから犬の吠える声が聞こえた。

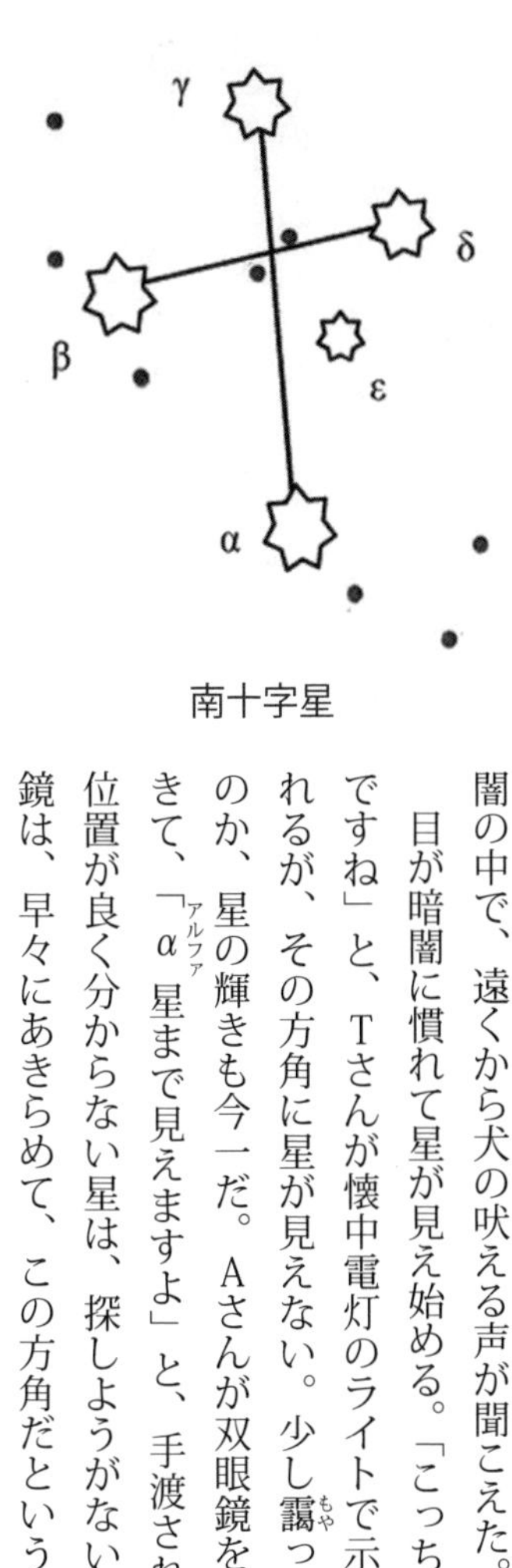

南十字星

目が暗闇に慣れて星が見え始める。「こっちの方角ですね」と、Tさんが懐中電灯のライトで示してくれるが、その方角に星が見えない。少し靄(もや)っているのか、星の輝きも今一だ。Aさんが双眼鏡を出してきて、「α(アルファ)星まで見えますよ」と、手渡されたが、位置が良く分からない星は、探しようがない。双眼鏡は、早々にあきらめて、この方角だというあたりをじっと眺めた。

「チラチラ見えていますよ」と、横でTさんが、星空を見つめながらいうが、見えない。その時、急に星の輝きが明るくなり、「おっ」と、声を上げた。確かに赤っぽい星が十字にクロスしている。えくぼ星（ε（イプシロン）星）も見えたが、すぐまた見えなくなった。

束の間の事だったが、確かに見えた。初めて見た南十字星は、思ったよりも高く、大きかった。これはすごい、石垣島の星空は本土にはないすばらしい魅力を持っている！ と本当に思った。それにしても、大の男3人が真夜中に畑の中で、星空を見てはしゃいでいる情景は少し異様なものだと後でひとり苦笑した。

「八重山病」がさらに悪化した。南十字星が心に焼き付き、この感動が僕の「南の島の星まつり」や石垣島天文台建設の原動力になったのだろうと今になって思う。

「星国」の特産品

２００６年12月28日　琉球新報「南風」

大型の寒気団が日本列島を覆い、本格的な冬がやってきた。スキーシーズンを前に雪不足で困っていた信州や東北、北海道では、ホッとしていることだろう。

雪の多い地方を「雪国」という。「そこで、星がたくさん見える沖縄を『星国』と呼ぶのはどうだろう」という提案がＮＴＴに勤めるＯさんからあった。なんともすばらしい提案ではないか。

そもそも、八重山地方には、フシマという「星の島」を意味することばがある。今どきの風の強い日などに、波が島の周りの珊瑚礁のリーフにぶつかり、飛び散る飛沫が星のように見えることから、島々をこう呼ぶようになったという方もいる。

それに、沖縄には本土では見られない星空がある。南十字星やカノープスなどの星座や美ら星がたくさん見える。他県には真似のできないこの星空は、「星国」自慢の特産品である。

野外の照明に傘を掛けたり、無駄な明かりを消して、一つでも見える星を増やせば、誰もが特産品の生産者にもなれる。

「星国」では、これからがカノープスの見頃だ。シリウスの下にもう一つ明るく見える星がそうだ。古く中国や日本では「南極老人星」「寿星（じゅせい）」と呼び、天下泰平を招く平和の星とされ、この星を見ると長生きをするというので珍重されている。

大晦日の深夜にはカノープスが真南に、続いて南十字星が東から昇ってきて、その後に新年の初日の出となる。

星空は、平和であってこそ美しい。沖縄には、「二度と戦争をしてはいけない」と平和を願う土壌がある。この「星国」だからこそ、みんなで美しい星空を特産品として育ててゆきたいと思う。

I　南の島の天文台から

VERA・石垣島天文台
南の島の星まつり
星見石

VERA・石垣島天文台

南の島の天文台

2006年7月6日　琉球新報「南風」

「すごい！見えたぁー」とドームの中に若い女性の歓声が響く。「生きていて良かったよ」と、オバアが微笑み寄ってくる。石垣島天文台の口径105チセンの「むりかぶし」望遠鏡を一般にオープンして、はや3か月になる。

見学者は6月末で、4800人を越え、土星や木星、月などの観望を楽しんで頂いている。「むりかぶし」望遠鏡は、天文研究の面では今まだ試験観測中で、土星や彗星などの惑星、系外銀河M51などの撮影をしながら性能を調べているが、すばらしく大気の安定した八重山の星空と105チセンの大口径が組み合わさりその威力を発揮するのは確実だ。

国や県、市や市民がいっしょになって運営するという新しい試みもはじまった。土日の夜の観望会は毎回予約で一杯という盛況さだが、地元NPO八重山星の会の方々が星空ガイドのために駆け参じてくれている。

国立天文台が本格的に島に来ることになったのは、銀河系の立体地図を描くプロジェクトVERA（ベラ）計画で、石垣島局を建設することが決まった2001年である。

「まさか、雲の上の国立天文台がこの島に来ようとは誰が想像したか！」。島の天文愛好家の集まり「八重山星の会」の方々は、今もよくこういう。

「雲上人」が驚いたのは、島のみなさんの星への深い思い入れだ。八重山商工高校の甲子園出場も星文化の島石垣島の人々の熱い願いが星に通じたのだろう。何につけても熱いものを感じている。

石垣島に天文台を作って本当に良かったと思う。

石垣島天文台は、市内から車で20分ほどの、前勢岳（まえせだけ）山頂にある。標高197メートル、もう「雲の上」ではない。「今夜も行ってみようか」と思う身近な場所である。これからは、木星の縞模様や大赤斑（だいせきはん）が楽しめる。

特攻隊の見た星

2006年8月17日　琉球新報「南風」

石垣島に来ることになる前は、長野県の八ヶ岳東麓、標高1350メートルの野辺山高原にいた。夏は避暑地、冬は一段と星空も美しいが、氷点下の日が続く厳寒の地である。

27年前、ここにミリ波という波長の天体電波観測では、世界の群を抜く性能を誇る直径45メートルの電波望遠鏡を備える野辺山宇宙電波観測所が完成し、最先端の研究が続けられている。

ある日突然、観測所の入り口に石碑が建った。表には「三重航空隊」「野辺山派遣隊」の文字が刻まれていた。いろいろと建立の謂(いわ)れを尋ねてみて驚いた。この観測所のある場所が、太平洋戦争最後の特攻隊の訓練地であったというのだ。

昭和20年5月、いよいよ本土決戦を覚悟した軍は、B29爆撃機に体当たりし撃墜させるためにわが国初のロケット型特攻機「秋水」を開発する一方、密かにこの野辺山高原に海軍飛行予科練習生である少年兵を全国から集め搭乗員とすべく訓練していたのだ。その数、1196名という。

そんな訳で、特攻隊にも関心を深くしていたが、石垣島に来てみるとなんと1945年3月完成の白保陸軍飛行場からの伊舎堂用久（いしゃどうようきゅう）中佐率いる特攻隊がいたと知らされる。天文台の仕事を通じて、さらに特攻隊について知ることになった。

何年か後に、石垣市の平和祈念館で催された伊舎堂用久展で、ガラスケースに収められた遺品の中に、夜間に星の位置を測り飛行する天測航法のための手帖があった。そういえば、元予科練の方に「夜でも自分の機の位置が分るように星の位置は正確に憶えていた」とよく自慢された。

ゼロ戦で沖縄の空を何度も飛んでいたという方が、石垣島を訪ねて来られたことがある。地上から眺める星空の美しさに平和の尊さをも感じてもらえたと思っている。

VERAで見つけたもの

2006年8月31日　琉球新報「南風」

冥王星(めいおうせい)を太陽系の惑星からはずすことが決まった時は岩手県にいた。銀河系の立体地図を描くVERA（ベラ）計画では、口径20メートルの電波望遠鏡を石垣島の他、水沢（岩手県奥州市）、入来（鹿児島県薩摩川内市）、父島（東京都小笠原村）に設置しており、時々この4か所に出かけている。

そんな話を馴染みの居酒屋でしていたら、女将(おかみ)さんが「母は疎開するまで父島にいたの……」という。そして、「母の友達だったIさんという方の消息がわかるかしら」と、60年前の人探しを頼まれてしまった。「Iさん」、それは英語名だった。父島は古くは米国の捕鯨基地で、ハワイからの移住者など欧米系の方もおられる。

ほどなく父島に出かけ、島の人に尋ねたが、知っている人はいない。やっとのことで、日本名がわかり、行きつけの食堂の親父さんに尋ねると「ゲートボール仲間だ」と連絡先を教えてもらえた。

Ｉさんは、テニスコートの管理人をしていた。女将のお母さんのＦさんの話をすると、「石垣島にいるのね。元気？」としっかりと憶えているようすだった。携帯電話で女将さんに連絡し、ＩさんとＦさん２人に代わる。「Ｆさん！　いやぁー懐かしいわ」と思い出に話が弾むのをしばし傍らで見守った。

敗戦直前に島民全員が本土に疎開。20歳前後の２人は、船に乗り込む時「また島で会おうね」と約束したが、戦後占領下の島にすぐ帰島を許されたのは欧米系住人だけで、日本人の多くは疎開生活の厳しさに帰島を待てず転居し、再び島に戻ることはなかったという。

４つの電波望遠鏡を組み合わせると口径２３００キロメートルの望遠鏡と同じ効果が出せる。月面上の一円玉を見分ける性能だが、１０００キロメートル離れた父島で人探しをすることもできた。

むりかぶしが昇ってきた日

2006年9月28日　琉球新報「南風」

「まさか」という言葉は、まさにこういう時に使うのだろう。台風13号で、石垣島天文台は、スリットと呼ばれる観測の際に開放するドームの鉄製の扉が吹き飛ばされた。こんな重量物が、「飛ぶ」ことなど考えられず、本当に「まさか」な事態であった。

この扉が落下していれば、玄関や水道タンクなど建物以外も損壊して、被害を大きくしていただろうが、風の強さが尋常でなかったことで、これらを飛び越えてしまったのだ。不幸中の幸いだ。

電力の回復には、1週間かかった。復旧を急ぐように関係方面にお願いしたものの、真夜中も電柱や投光機を載せた車両が走り回っているのを見ると無理は言えなかった。暗くなった道路の脇で作業員の方が集まり、夕食の弁当を食べているのを見た時は、自然と頭が下がった。

前勢岳（まえせだけ）山頂の天文台の復旧に来られた作業員の方々は本島からの派遣で、石垣島は初めてという。山頂から、夕陽の中に浮かぶ竹富島などの島々の眺めを少しばかり楽しんでもらった。

山を降り始め、ふと見上げると葉も小枝も落ちた木々に、大コウモリの群れがあった。黄色い顔をしているのは、花の蜜を吸って花粉でもついたのだろうか。食料の木の実や果実も強風で落ちた山中で、今夜の夕食を思案しているのだろう。

遅い夕食を終え、帰路につくと、夜空にはもうオリオン座が見える。頭上にむりかぶしも昇ってきて、群れて輝いている。天の川も美しい。石垣島天文台を一日も早く復旧しなければと思った。

深夜まで、星空を見る余裕もなく電力や電話の復旧にあたってくれた作業員の方々には、いつかゆっくりと「むりかぶし」望遠鏡で、八重山の美しい星空を楽しんでもらいたいものだ。

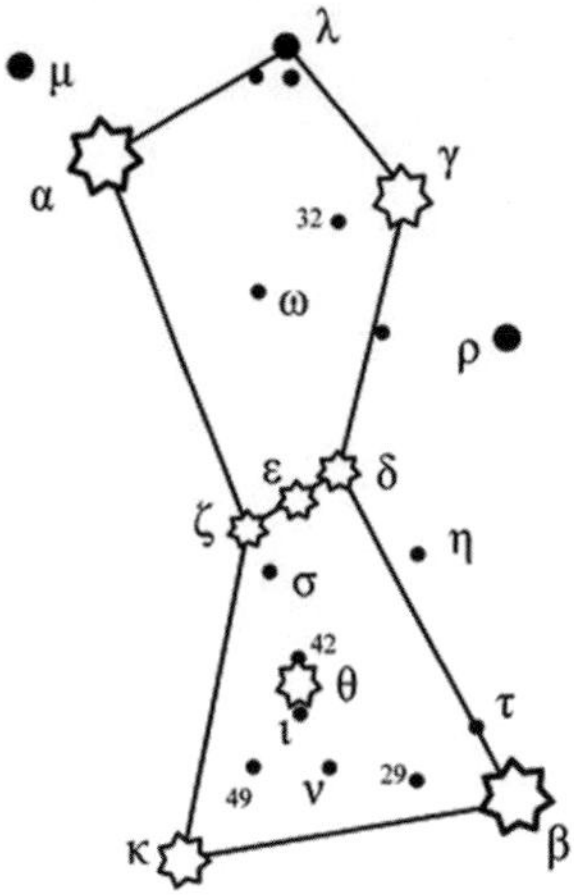

オリオン座

月日星の森

2006年10月12日　琉球新報「南風」

台風13号の被災からもうすぐ1か月になる。まだ、島のあちらこちらには、その傷あとが残っており、今なお「今度の台風は、ホント怖かったさぁ」という挨拶で話が始まる。

天文台への林道にも倒木が残っているが、生い茂っていた樹木の葉は落ち、枝は折れ、空が大きく開いて、太陽の光がまぶしいほどに差込んでいる。

朝夕、この道を通りながら、野鳥などに出会う。梅雨明けの頃から、アカショウビンが増え、車の速度を落としてゆっくりその美しい姿を楽しんでいた。

ある日、車を止めて写真を撮ろうとしていると、頭上をスーっと黒い大きなトカゲのようなものが飛んで、高い小枝にとまる。よく見ると濃い瑠璃(るり)色の尾の長い美しい小鳥であった。

さっそく、その姿を絵にして島で自然観察ガイドをされているTさんに、尋ねると、「サンコウチョウ」だと教えてくれた。「ツキヒホシ、ホイホイホイ」というさえずりが、「月日星」

と聞こえるので、「三光鳥」と呼ばれることになったそうだ。

天文台のある前勢岳の森に棲む鳥に、なんともふさわしい名前ではないか。これはぜひ写真に収めなければと、その後注意して探しているが、久しく出会えていない。

被災箇所を応急処置した天文台の丸いドームの周りをツバメが飛び交っている。爽やかな風が山頂を撫(な)でている。スサニスカジ（白北風）というそうだ。よく見ると、山頂の木々の枝に、いつの間にか新しい緑の葉が付きはじめている。南の島の生命力を感じる。

前勢岳に緑が蘇(よみがえ)り、生い茂る森の中で、またサンコウチョウに出会いたいものだ。その頃までには、石垣島天文台のむりかぶし望遠鏡で、月やたくさんの星ぼしが眺められるようにしたい。

新たなる星文化

2006年11月30日　琉球新報「南風」

今月18日の夕べに、小さなコンサートが石垣島天文台の麓（ふもと）にある県立石垣少年自然の家で催された。「女子十二楽坊」を思わせる女性12名からなる「YAEYAMAストリングス」が、ボランティアで引き受けてくれて実現した。

小雨や曇天の日が続いていたが、コンサートの2時間ほどは、前勢岳（まえせだけ）の森の上に星空が広がり、しし座流星群の前兆の流れ星もあり、文字通りの「南の森の星空コンサート」となった。星にかかわるクラシックや沖縄古謡などが、バイオリンやビオラ、チェロによって、盛りだくさんに奏（かな）でられ、しばし酔いしれた。

演奏の合間には、北斗七星にまつわる沖縄の民話「星女房」の影絵が、NPO八重山星の会によって上演される。星空の元で楽しむのにふさわしい星の会ならではのエンターテインメントであった。

また天体写真や国立天文台が石垣島に建設を始めてからこれまでの思い出のシーンが、美しい演奏に合わせ映画のフラッシュバックのように写し出される。演奏が終ると、「早く天文台が直るといいね」というたくさんの激励を頂いた。天文台の復興を願うコンサートにもなったようだ。

「南の島の星まつり」の他、星空観望会や講演会、石垣島天文台、子供たちの体験学習会などが、島の人たちの手で創り出され、島の文化となりつつある。今回のコンサートもそうである。

昔、石垣島では、むりかぶしを星見石で観察し、農業や暮らしに役立ててきた。沖縄には多くの民話や古謡に舞踊と、太陽や月、星々にまつわるものが多い。島では、これらを「星文化」という。

コンサートが終ると、星空高くにむりかぶしが輝いていた。新たなる「星文化」が、生まれ育つこの島を見守っているかのようであった。

若き星ぼし

2006年12月14日　琉球新報「南風」

12月になったというのに、先週は夏が戻ってきたような陽気だった。本土なら「小春日和」というところ、沖縄では暑さが過ぎるので「小夏日和」という。沖縄の方言「十月夏小（ナチグワー）」からの造語が、定着したと教わった。

この陽気に、黄色のミンサー・ウエアをまた取り出して着た。むりかぶし望遠鏡も黄色に塗装されているが、これは危険で注意を喚起するためではない。古来、沖縄では高貴な客人は黄色の衣装で出迎えるという話を聞き、私たちも星ぼしをお迎えするという気持ちで望遠鏡の色を決めた。

また、望遠鏡にはミンサー模様が「いつの世までも、この望遠鏡を愛用してください」という願いを込めて、高校生たちの手で描（か）かれている。

島の3高校（八重山高校、八重山商工高校、八重山農林高校）の生徒たちと天文台の関わりは多い。そもそも石垣島天文台ができたのも、建設が危ういというときに、この高校生たちが建設を願う署名活動に立ち上がってくれたからこそだ。

ＶＥＲＡ（ベラ）観測局でおこなった研究体験実習「美ら星研究体験隊」では、新しい電波星を発見する成果を上げる。春の日本天文学会ジュニアセッションでの発表は大好評だった。本土にはない沖縄の星空のもとで活躍する高校生たちの話を、今月初め石垣島で開催された県高校ＰＴＡ研究大会で紹介させてもらった。

「むりかぶし」の年齢を人間の一生にたとえれば、まさに高校生である。自分を生み育ててくれたガスや塵を吹き飛ばし、さあ一人前になるぞと輝きを増した星ぼしだ。

星空を眺めるていると宇宙のすばらしさが見えてくる。高校生たちもそうなのだ。その活躍からは、無限の可能性をもった若き星ぼしの輝きが見えてくる。

八重山の星文化を学ぶ

２００７年　石垣ロータリークラブ「卓話」

皆さんこんにちは、八重山の経済界の第一線で活躍されている石垣ロータリークラブのみなさんには日頃より非常に敬意を表しております。きょうは、卓話ということで、ご招待をいただきましてありがとうございます。

今、会場にある掲示物を見たら「４つのテスト」というのがありました。クラブ員であるためのテストでしょうか。きょう星についてお話するためにはこのテストに合格しないといけないかなと思ったりしております。

まずは、「真実かどうか」です。宇宙のことは分からないことが多く、「嘘だ！　本当だ！」と言われても誰も確かめようがありませんね。真実かどうかは信じるよりしょうがないです。次は「みんなに公平か」。星はだれの頭上にも輝いておりますので、みんなに公平ですね。その次の「好意と友情を深めるか」。これは満天の星の下でお酒を酌み交わすとか、いろんな場面があると思います。星空の下では、愛も生れますし、友情も生れます。そういう意味では、これも合格かと思います。最後の「みんなの為になるかどうか」。これは難しいです。前勢岳（まえせだけ）に天文台を作るときいろいろ問題がありましたが、今、毎月１０００人ぐらいの方が石垣島天文台にきていただいています。そして、星をみてとても喜んでいただいております。そういう場面を見れば皆の為に少し役にたっているかなと思っております。そんなことで、まずは「4つのテスト」は、合格とさせていただきます。

きょうは、まず石垣島における国立天文台の施設紹介をさせていただきます。今頃の石垣島は夜10時くらいになると南のほうに南十字星、ケンタウルス座のアルファー、ベーターという星が見えてきます。これらの星は日本の本土ではまったく見ることができない星です。なぜ国立天文台が石垣島に来たかというと、本土では見えない南の空が石垣島では見えるということです。日本の最南端というこの特徴を活かし天文学の研究しようということで石垣島にきています。本土から比べて緯度が10度南ということは10度分だけ星空がたくさん見えているわけです。だから88星座中84の星座が見えることになります。

このため、これまでアマチュアの天文家の人達にとって石垣島は、星の写真を撮ったり、南十字星などの星や天の川を観測するのにとてもいい場所といわれてきました。私たちの住んでいる銀河系＝天の川銀河を観測するにも、やはりできるだけ空の上、高いところで見たいというのがあります。それから大気が安定していること。今、本土では黄砂が話題になっておりますが、ジェット気流、偏西風の南側にいて偏西風が石垣島の上空を流れていないので、とても大気が安定しているということです。星が瞬かなくて空に貼り付いたように見えるという非常に特徴のある所です。

また夏の晴天率が良いということです。夏は台風さえ来なければ40％ぐらい晴れているということです。私たちも気象台からデータを貰って、解析して非常に驚きました。それから今日のお話のテーマになりますが、星文化があり、島のみなさんの星への関心が高いということもわかりました。

石垣島には、国立天文台の施設が2つあります。1つはＶＥＲＡ（ベラ）石垣島観測局で、20年ぐらい前から石垣島に電波望遠鏡を置きたいということで計画をし、予算が２００１年に認められて石垣島に建設する事になりました。このＶＥＲＡ観測局の建設をきっかけにして、地元石垣市の人たちと一緒に星空観望会とかをやっている中で、ぜひ光の望遠鏡もほしいという強い要望があって、作られたのが石垣島天文台です。石垣島に光の望遠鏡を設置する計画はなかったのですが、市民の皆さんの熱心な要請に応え、文部科学省と国立天文台長が話し合い、石垣市もいっしょになって前勢岳（標高１９７メートル）に建設したわけです。

ＶＥＲＡ観測局の直径20メートルの電波望遠鏡は何をするためめか。石垣島の他、日本国内には、鹿児島の入来（現在、薩摩川内市）、小笠原村の父島、岩手県の水沢（現在、奥州市）と、国内4か所に同じ電波望遠鏡を設置しております。この4か所の望遠鏡で同じ星を同じ時間に観測するとなんと直径が２３００キロの電波望遠鏡と同じ効果を得られることができます。これで、どれくらい細かいものが見えるかというと、月の上に置いた1円玉が右に動いたか左に動いたかぐらいがわかるようになります。かぐや姫がウィンクしたのが分かるという、それくらいの精度を発揮することができます。

ＶＥＲＡプロジェクトというふうに私たちは呼んでいるのですが、これは天の川の立体地図を描こうという計画です。私たちは、ＶＥＲＡを使って、天の川銀河の１０００個ぐらいの電波星を10年くらいかけて、その位置と動きを計って行きます。そうすると、それぞれの星がどういうふうに動いているかが分かって、我々の住む銀河系の姿が見えてくるというわけです。世界で初めて私たちの住む銀河系の姿を見ることができるプロジェクトです。これがＶＥＲＡ計画です。だんだん成果が出始めていますので、そのうちＶＥＲＡという言葉が新聞を賑わすことになるかと思っています。

さて、石垣島天文台は、台風で天体ドームとよばれる屋根の部分が壊れ休館する事態となって、みなさんにご心配をおかけしましたが、先日4月1日から再開することができました。太陽系の天体である、惑星、彗星、小惑星を観測し研究することが主な目的ですが、2月の試験観測で、世界的にコメットハンター（彗星発見者）として有名な関勉（せきつとむ）さんが命名した小惑星「むりかぶし」の撮影に成功し、「むりかぶし」望遠鏡の性能も元に戻ったことが確認できました。４月１日には、土星の輪や月のクレータを楽しんでいただきました。６月ころには、木星も見頃になりますので、ぜひ石垣島天文台においでになり、自分の目でご覧頂きたいと思います。

　石垣島に来て大変に驚いたのは皆さんが生活の中に星を取り入れ、とても興味を持っているということです。市民の皆さんがこんなに星に興味を持っている町は、全国探しても石垣島だけではないかと思っています。川平（かびら）には「むりぶし御嶽（うたき）」があります。これもこちらに来て地元の方とお話をして知りました。それから星見石（ふしみいし）というのがあって、これで「むりかぶし」という星の高さを測り、粟、稲の種まきの時期、刈り取りの時期を決めていたというのです。「むりかぶし」というのは、「すばる」、「プレアデス星団」のことですが、このぼんやりとした星が、なぜ世界中で農作業の時期を知るために使われていたのでしょうか。他にいくらでも明るい星があるのに、それは今、私にとっての大きな謎になっています。

　星というのは宇宙の中でガスとかチリが集まってそれが重力で引き合い塊になって、中心で押し潰され、核融合反応して星になっていくわけです。星が生れて今度は自分たちを作ってきた残りのガスやチリを吹き飛ばす。そういう状態にある星が「むりかぶし＝昴（すばる）」です。人間の一生で言えば高校生ぐらいの星といえます。

八重山諸島の古謡で、有名なものとして「むりかぶしゆんた」があります。『むりかぶし』は天の王様から国を治めなさいと命令され『はい』と言ってお受けして、天の真上を通るようになった」と謡われています。確かに石垣島だと真上を通っていく星です。昔は夕方、農作業が終り牛車に乗って家までコトコトコトと帰る間にこういう唄を歌いながら帰ったということです。「ゆんた」の中にはたくさん星を唄った唄があります。こういうふうに本当に星文化といえるような、生活の中で星が唄われて使われて続けてきたということは非常に興味があるところです。石垣島では、「むりかぶし」を挟んで、北斗七星のことは「にしななちぶし」、南の7つの星と書いて「はいななちぶし」と呼ばれています。南の7つ星は、いて座の南斗六星ことでしょう。星の読み方はいろいろあるかと思いますが、漢字にされて本来の読み方が変わったものもあります。星や星座の八重山での呼び方を調べていきたいと思っています。

さて、「むりかぶし」の名前です。石垣地方では「むりぶし」とは、お月見のときにおぼんに団子を盛った形に似てるので「盛る星」、それがだんだんなまって、「むるぶし」、「むりかぶし」になったと言われています。また星が6個ほど組み合わさっているので「組む星」「六連(むつら)星(ぶし)」という話も聞きました。それから「ふなーぶし」は、最近お聞きしたところによると大浜村は「船星」と書いて「ふなぶし」と読んでいるそうです。これまで、漁業や航海には関係ないと言われていたので、興味深く思っております。

また、唄をよーく聴いてみると石垣島の自慢にもなっています。「むりかぶし」を見て農作業をする石垣島は、八重山諸島では一番優れた島だと謡っています。登野城村では、村の自慢で「オレの村こそ島の中で一番」だと、それは「むりかぶし」をちゃんと見て暮らしているからだというのです。八重山諸島、特に石垣島の人にとって、「むりかぶし」を使って農業していることを、自分たちの自慢と考えているということです。

八重山博物館に行くと「星圖（ふしず）」という古文書が残っています。天の川をこんなにくっきり書いている星図というのも珍しいです。当時石垣島でよばれていた星座の名前が書かれています。この星座が見えたら稲刈りをしなさいとか嵐が来るよとかそういうこともいろいろ書かれています。このような星図が各農家、各地域で伝承されていたのでしょうが、津波で古い古文書がなくなってしまったようで残念です。

きょうは「むりかぶし」のことでしたが、星の名前や伝承を調べていくと星とみなさんの暮らしへの関わりが分かり、大変興味深いものがあります。私たちは、世界最先端の望遠鏡を石垣島に置かせて頂いて観測や研究をしているのですが、私としては古い石垣島の星文化も学んでいきたいと思っております。どうぞ、よろしくお願いします。

一輪の蘭

2007年4月29日　八重山毎日新聞「日曜随筆」

昨年の台風13号で被害を受けた石垣島天文台の復旧工事が始まったのは、年が明けて新年1月4日からだった。

天文台建物の屋根にあたる天体ドームのスリット扉が2枚とも吹き飛ばされるという、これまで聞いたこともないような被害を受けた。原因を調査し、今後の対策や修復方法を検討したりで、本格的な修復工事が始まるまでに3か月ほど時間がかかってしまった。

「もう毎日、自分の家のことより、天文台のことが心配になっていたさア」と、シルバー人材センターから、お掃除に来てくれているおばさんも、工事の始まりを安心したようすで見守っていた。

扉がなくなり、ドームにすっぽりとあいた「窓」には、応急処置でトラックの荷台に使うシート材で作ったテントを張っていたが、雨の日はどうしても隙間から雨漏りしてしまう。毎朝天文台にお掃除にくると、まずは雨漏りがしていないかを調べてまわることが日課のようになっていた。

修復もほぼ終え、試験観測が始まった3月初め、会議で東京に戻っていた私のもとに、朝早くに天文台のスタッフから「おはようございます」と、メールが届いた。「突然ですが、ランの花が一輪咲きました」という内容で、ピンクの色をした小さな蘭の花の写真が1枚添付されていた。これは、ほんとうにうれしいニュースだった。

1年ほど前、完成したばかりの天文台に市内の小学生数人が先生と一緒に見学に来た。その際に「天文台の完成おめでとうございます」というメッセージが添えられた、小さな蘭の花のプレゼントがあった。

その蘭は、それからずっと玄関に飾られていたが、台風13号の風雨に打たれ倒れ、誰が見ても、再生するようには思えなかった。「もう捨てようよ」と何度か言われたが、プレゼントしてくれた子供たちのことを思って、「本当に枯れるまでは」と、玄関脇でようすを見ながら育てていた。

その蘭の花が、復旧工事を終えた「むりかぶし」望遠鏡が動き出し、再び天体の写真が撮れ始めたのを祝うかのように、健気に一輪の小さな花を咲かせたのだ。

石垣島天文台は国立天文台でもっとも小さな観測所であるが、石垣市と教育委員会、県立少年自然の家、ＮＰＯ八重山星の会に代表される市民のみなさんといっしょになって運営するユニークな公開天文台でもある。

台風の被災を受けたときは、今後どうなることかと思ったが、ともかく復旧をして、４月から無事に再開することができた。これからも、この小さな天文台をみんなで育て、期待に応えていきたいと思っている。

前勢岳（まえせだけ）にアカショービンが飛び始めた先日の午後、この蘭が植わっている八重山椰子の幹で作られた鉢のミズゴケを新しいものに入れ替えていたら、根元から若い芽がいくつか顔を出しているのを見つけた。

４月１日のリニューアル・オープンに合わせ、八重山星の会のみなさんが、たくさんの花をプランターに植えて玄関周りを花で飾ってくれている。その花を見ながら、私たちといっしょにあの台風被災を乗り越えた、この小さな蘭の花も、天文台の玄関でいつまでも咲き続けて欲しいと思った。

悠久の八重山時間

2007年6月10日　八重山毎日新聞「日曜随筆」

きょう6月10日は、「時の記念日」だ。日本書紀に天智天皇が、日本で最初に漏刻（水時計）を創設したとの記録があり、その日の天智10年（西暦671年）4月25日が、現在の太陽暦では6月10日にあたることから、1920年（大正19年）に、この日を「時の記念日」と定め、時間を大切にすることが提唱されたそうだ。

漏刻は、それまでの日時計に代わる画期的な時計で、担当役人は漏刻博士と呼ばれ、重要な役職であった。1年ほど前、首里城を訪ねたら、琉球王朝時代は、第三の門が「漏刻門」と呼ばれ、門の上の櫓に水槽を置き、水が漏れる量で時間を測っていたとの説明があった。係の役人は、時間を測っては太鼓を打ち鳴らし、時刻を知らせていたという。

石垣島でも、王朝時代の行政庁である蔵元の入口に「時報楼」という櫓があり、そこには「うらぬ鐘」と呼ばれる差し渡し5尺の大太鼓があって、やはり時刻を知らせていたそうだ。

ここでは、何を使って時刻を測っていたのだろうか、興味深い。

名蔵ダムの傍に口径20メートルの電波望遠鏡を備える国立天文台のＶＥＲＡ（ベラ）観測局では、国内４か所に設置した電波望遠鏡で同じ星を同じ時刻に観測するために、高精度の時計が置かれている。真空のガラス球に入れられた水素のガスを電離して出す微弱な電波の信号を使った特殊な時計で、１億年で１秒しか狂わない精度を持つ時計である。

そんな説明を見学に来られた方々にするといっせいに腕時計を観測所の時計に合わせたりされる。みなさんの腕時計が高精度な時計になるわけではないのだが、合わせた一瞬は高精度時刻を表示したことにはなる。

石垣島に来て、いろんな会合や催しに出席するが、決められた時刻に始まることは少ない。「八重山時間だからね」と笑いながら、ゆっくりと始まりを待つことになる。会合に遅れそうな時には車を急がせるが、どんなに道路がすいていても、ほとんどの車が制限時速40キロメートルを守ってゆっくりと走っており、追越禁止区間では困ったりした。

島の生活にだんだんと慣れてくると、島全体がゆったりとしているのが分かる。八重山時間、八重山タイムというのは、時間を守らないということではなく、島の暮らしも人の心も大らかなことを表しているのだとわかってきた。そして、いつの間にか自分もその時の流れの中に身をおいてしまっていることにこの頃気付いた。

ＶＥＲＡ観測局では、厳密に時刻管理をしているが、観測している銀河系は、10万光年の広がりをもち、渦巻状に2千億個の星やガスが集まっている。太陽もその星のひとつで、2・4億年かけて一周している。

その悠久の時間の流れの中に地球があり、八重山もあり、日々の暮らしが営まれている。八重山の人々は、生まれながらにして美ら海に囲まれ、この美しい星空のもとで暮らしているので、自然と大らかになるのだろう。

戦争が絶えず、命が軽んじられ、せちがらい今の世の中では、八重山時間がとても貴重に思われる。時間を守ることも大切だが、地球という小さな星で生命を得て、そして与えられたこの限りある時間をどう生きるのか、そんなことを「時の記念日」に、みんなで考えてみるのはどうだろうか。

市制60周年の日

2007年7月22日　八重山毎日新聞「日曜随筆」

「天文台というから、山の上に作るものだと思っていたが……」、バンナ岳の北の名蔵に国立天文台がVERA（ベラ）観測局と20メートルの電波望遠鏡を完成させた時、地元の公民館長さんからこう言われた。於茂登岳（おもとだけ）の麓（ふもと）、名蔵（なぐら）川の源流、白水（しらみず）の谷間に建設したのだから、不思議に思われるのも当然だ。

見学の方には、「望遠鏡なので、星が見えるかと思って来たのに……」と不服そうな顔をされる。そのつど、電波望遠鏡では肉眼で星を見ることができないのだと説明するが納得してくれる方は少ない。

いわゆる「望遠鏡」も最近は、「光学望遠鏡」と呼ばれるように、観測する電磁波の波長によって種別される。石垣島天文台の「むりかぶし」望遠鏡は、光学赤外線望遠鏡と呼ばれ、可視光と赤外線で観測する望遠鏡である。X（エックス）線望遠鏡、紫外線望遠鏡もある。小柴さんがノーベル賞を受賞して有名になったのはニュートリノ望遠鏡だ。したがって、電波望遠鏡は星からの電波を観測する望遠鏡であり、肉眼で星は見れない。

VERA計画が立案されたのは20年前で、当初から電波望遠鏡を岩手県の水沢市（当時）と石垣島に置く計画であった。このため、石垣島の空の状態を調査するため、市役所の屋上に観測機器を置かせていただき、データ取りでは職員の方にお世話になってきた。

空の状態は満足のいくものであったが、建設場所には苦労した。電波で見ると空が明るいのだ。候補地に測定器を据えて観測をすると、星の電波よりはるかに強い人工の電波が受信される。認可されている電波は周波数がわかっており対策もとれるが、私たちが知ることのできない電波も多かった。

対策に頭を悩ましているところに、石垣市から新たな候補地の紹介があった。さっそく、「現地を見に行きますか」と車で案内していただいたのが、現在の名蔵ダムの石切り場の跡地の草原であった。小高い山に囲まれた小さな谷間で、周囲からの人工電波が遮られており、電波望遠鏡の設置場所としては、この谷間が最適に思えた。

ここは良さそうだと歩き回っていたが、案内役の係長さんは車の傍から見ているだけで、いつの間にか長靴をはいている。聞くと、「ハブが出るからね」と平然と言われ、「天文台の方は、勇気があるなぁと感心して見てたよ」と笑いながら付け加えられた。

ＶＥＲＡは、世界に先駆けて人類がまだ見たことのない我が銀河系の姿を立体的に描き出そうという壮大な計画であるが、未踏の研究分野だ。初めて作る観測装置が多く、予算は総額80億円を超える。そんな計画を始めるのには、確かに大きな勇気が必要だった。

石垣市が市制60周年を迎えた日、私たちは国立天文台の本部（三鷹市）で、記者団を前に、ＶＥＲＡ計画で初めて、世界最高の精度で銀河系の2つの星の位置の測定に成功したことを発表した。これで、本格的に銀河系の立体地図作りができることを示した。

石垣市と同じく、ＶＥＲＡも新たなスタートをきった。市制70周年を迎える頃には、市民のみなさんに電波望遠鏡で描き出した銀河系の姿を肉眼で見ていただけるようにしたい、そんなことを思う日であった。

やいまの神様

2008年2月24日　八重山毎日新聞「日曜随筆」

2月14日は、今やすっかり年中行事のひとつになってしまったバレンタインデーであるが、その日思わぬ方からチョコレートのプレゼントがあった。

実は、今月の初め、相変わらずの曇り空であったが、久々に雨も上がった日の午後、前勢岳山頂の天文台に、神司（かんつかさ）さんや神人（かみんちゅ）さんら、十数人が集まられて、おごそかに神事が執りおこなわれた。21世紀の最初の子（ね）年にあたり、島の各所を回り、供養し安泰を祈願しているとのことだった。

バレンタイン監督率いる千葉ロッテマリーンズの優勝も祈願されたそうだが、こちらは突然で初めてのことで、驚き戸惑った。しかし、八重山には３００もあるという御嶽（うたき）の神事には関心もあり、これは良い機会だとも思った。

こういう神事は、古く暗く陰湿なものと想像していたが、準備を進めているようすは、なごやかで明るく朗らかなもので安心した。

神事を見守りながらも、恐る恐る「これは、何ですか」などと、不躾な質問をついつい繰り返してしまったが、神司さんらは、丁寧に答えて説明をしてくれた。なんと、チョコレートのプレゼントは、その時の神司さんたちからだった。

天文台での神事は、一昨年の台風13号で大被害を受けたことに対してで、この地で地鎮祭がされていなかったので、神様に詫びを入れ、供養するということであった。

座が設けられ、お供え物が並び、紙銭（うちかび）の札束が積まれ、板状のお線香が焚かれた。どれも珍しいものであった。神司さんたちが、琉装の髪に六角柱状の銀のかんざしを挿し、白の朝衣（ちょうきん）を羽織り、天文台のドームの前に並び座ると、山頂はまるで聖なる神所と化したようであった。

願事（にんがい）は通じ、神様の許しは早々に得られたようで、ほっとしたが、その後続いて、いわゆる「安全祈願」の準備に移った。「お供え物に、赤いものが欲しいわね」と真っ赤なりんごがさらに盛られ、「発射判」と呼ばれる飾り物作りは、総出の作業となり、私も色取り取りの折り紙でたくさん作った。

そしてまた、しばしの間、願事が続いた。天文台が発展することを、子供たちが天文学の道に進み活躍することを、天文台の職員やここを訪れる人々の安全と健康などが祈願されたと後でお聞きし、感謝の気持ちでいっぱいになった。

何日か後、ちょうど旧暦正月四日に美崎御嶽で開催された「火神年頭祈願」を拝見することもできた。その日は、久々に青空が見え、御嶽の中には明るい太陽の光が差し込み、祈りについた神司さんらの朝衣が光を放っているかのように輝いていた。

お供え物を狙ってカラスまで来たのは余計だったが、周りにはオオゴマダラが舞い、梢には大コウモリがくつろぎ、鳩も遊ぶ社の中のその一角だけは、神々の世界にタイムスリップした感があった。

この日、神様たちは地上に降りてこられて、人間の素行を調べ、旧暦12月24日には、報告のため、再び天上に昇られるそうだ。

今回、天文台のために祈願をしてくれた神司さんたちはもちろんだが、この神様たちにも、地上にいる間に前勢岳の天文台をぜひ訪ねてきて欲しいものだ。むりかぶし望遠鏡で観る天上の星々に、いったいどんな印象をもたれるだろうか、楽しみである。

本物を見る感動

2014年8月　文部科学省『中等教育資料』

石垣島天文台が完成して、今年で9年目になります。九州沖縄で最大口径（105㌢）の「むりかぶし」望遠鏡を使って、太陽系や突発天体などの観測的研究で成果をあげ、また土日祝日には、観光客や市民のみなさんを対象に、土星や木星などの天体観望会を開催し、大変好評を得ています。

2013年7月には、石垣市が国の一括交付金を利用して「星空学びの部屋」を併設し、国立天文台が開発した立体映像で宇宙旅行をするようにして天体や宇宙の姿が見られる4D2U（4次元デジタル宇宙）の映像上映を始めています。石垣島に新空港が開港したこともあり、2013年度の来訪者数は、前年度の3割増しの1万3千人にもなりました。

そもそも国立天文台が石垣島にやってきたのは、天の川銀河（銀河系）の立体地図作りを目的にしたVERA（ベラ：VLBI Exploration of Radio Astrometry、天文広域精測望遠鏡、VE

VERA 電波望遠鏡

RAはラテン語で「真実」の意味）計画で、口径20メートルの電波望遠鏡を建設することが目的で、2002年に完成しました。

国立天文台の観測施設ができるというので、地元の期待は大きかったのですが、目で星を見ることができない電波望遠鏡だとわかり、がっかりさせてしまいました。そこで、私たちは小型の望遠鏡を数台購入して、天体観望会を開催したところ数百名が集まる盛況さで、星への関心の高さに驚きました。

その夏には、街の明りを消して天の川を見ようという「南の島の星まつり」を開催し、2000人を超える参加者がありました。今では、1万人近くが集まり、環境省から「星に関するイベントでは日本最大」と言われるまでになっています。

プラネタリウムが人気を取り戻していますが、本物の星空を見ようと、石垣島が星空の島として注目を浴びてきています。民放の番組で「天文学者が選ぶ星空のきれいな場所、星空三選」のトップに選ばれ、今年は全国紙の「女性にお奨めの天文台」で、３位に選ばれていま す。

石垣島天文台は、完成した当初から大勢の来訪者があり、地方の公開天文台からも「どのようにして誘客しているのか」という問い合わせも来るほどでした。私たちは研究機関でもあり、宣伝らしきことはしていませんでしたので不思議に思い、来られた方にお聞きすると、「ブログで見た」というのです。

石垣島天文台の天体観望会に参加したお客さんが、むりかぶし望遠鏡で、土星の環や、木星の縞模様を自分の目で見た感動をブログ紹介してくれているのです。それを見た方が来られ、また新しい感動を伝えてくれる。これが大きな宣伝効果を果たしていたのです。

ある日の観望会で、「いっぱい質問を持って来ました」と、天体図鑑や星座早見表などを抱えた親子がいました。その夜は天気も良く、大勢のお客さんに美しい土星の環などを見て頂きました。ドームからお客さんが帰られ、最後に親子が残り、お母さんが「先生に質問は」というと、さっきまで黙って望遠鏡を覗いていたその子は首を横に振って、そのまま私に抱きついてきて「ありがとうございました」と一言いいました。

お母さんがまた「質問は」というと、私の顔を見上げてにっこりしながら「いい」といって帰ってゆきました。自分の目で見た土星などの天体のすばらしさに満足しきった笑顔でした。

美しい図鑑の写真よりもすばらしかったことでしょう。

　天体や星空に限らず、本物を見て感動することは、ほんとうに大切です。石垣島、八重山諸島は自然が満ち溢れていて、修学旅行でも自然体験を中心にした多くのプログラムが組まれています。地元の子供たちだけでなく、美しい星空を眺めることで、街の照明や省エネを考えるようになり、自然の豊かさに触れることで、ゴミは持ち帰ろうという環境マナーも身についてきます。

　本物の自然に目を向け、肌身で体験し、感動し、学び知ることがどんなにすばらしいことか、私も石垣島に来て、大勢の子供たちといっしょに学ばせてもらっています。

宇宙メダカ

2015年10月25日　琉球新報「東風」

石垣島に来る前は、長野県南牧村の野辺山宇宙電波観測所勤務で、建設時から携わっていました。

今ＩＳＳ（国際宇宙ステーション）に搭乗し、地球を回っている油井亀美也（ゆいきみや）さんは、観測所完成当時、隣の川上村の中学生で、「宇宙飛行士になるきっかけは、宇宙電波観測所ができたことです」と話されているそうで、とても嬉しくなりました。

石垣島にＶＥＲＡ（ベラ）観測局や石垣島天文台が完成し、星空を通じて、地元だけでなく、全国各地とのつながりも広がっています。

今年9月には、鳥取市の佐治天文台から、石垣島天文台に宇宙メダカの贈呈がありました。

宇宙メダカとは、１９９４年7月に打ち上げられたスペースシャトル「コロンビア号」に搭乗した向井千秋さんが宇宙で産卵などの実験をしたメダカとその子孫です。

昔、石垣島にはマラリア病があり、戦争中には日本軍の命令で島人が避難させられた地域がマラリア蚊の生息地で、大勢の命が失われることもありました。「戦争マラリア」です。マラリア撲滅の一策として、外来種のタップミノウ（カダヤシ）が川や池に放され、蚊の幼虫のボウフラを食べさせたのですが、メダカまで絶やしてしまいました。

観測局のそばの名蔵川には、多くの淡水魚が生息していますが、メダカはもう島の川にはいないのです。

この話を石垣島天文台と連携しているなよろ市立天文台名誉台長の山田義弘さんにしたところ、「私が関係する佐治天文台が宇宙メダカを育てているので聞いてみよう」ということになり、また佐治天文台長の香西洋樹さんは国立天文台の大先輩でもあり、話は進み８匹も贈呈していただきました。

飼育は、観測局に近い名蔵小中学校の子供たちが引き受けてくれ、毎日観察日記をつけながら育てています。

そんなようすを見ながら、この島からも、天文学者や宇宙飛行士が育ってくれればと心ひそかに思っています。

佐治天文台（鳥取市さじアストロパーク）から贈られた宇宙メダカ

自由研究

2018年9月5日　沖縄タイムス「唐獅子」

夏休みが終わった。今年も星空イベントが多く、子供たちの自由研究なのか、天文・宇宙への質問も相変わらずで、うれしく思った。

石垣島天文台に勤務していたときも、夏休みには図鑑や星座早見を持参したり、双眼鏡を首にかけたりしてくる子供たちが多かった。観望会の後、お母さんにせかされて、もじもじしながら「土星の環（わ）は、どうしてできたのですか」などの質問がきたりしていた。

国立天文台では、2005年の夏休みに、地元の高校生を対象に、石垣島に建設したVERA観測局の口径20メートルの電波望遠鏡を使って電波星を見つける「美ら星研究体験隊」と称する企画を始めた。その後2006年に完成した九州沖縄で最大口径（105センチ）の「むりかぶし」望遠鏡も加え、対象を県外の高校生にも広げた。

この間、多くの新しい電波星を発見した。「むりかぶし」で発見した小惑星の内、二つには

「やいま（八重山）」、「あやぱに（かんむり鷲）」の命名が、国際天文学連合で認められるという成果も上げた。

また、２００９年から始まった国立天文台と琉球大学の連携授業「天体観測を通して学ぶ宇宙」も、毎年好評で、定員の2倍を超える申し込みがある。大学での講義と石垣島での観測実習であるが、希望者は、理学部に限らず、ほぼ全学部からある。天文は、宇宙物理だけでなく、歴史や文化、観光など幅広い分野に関わるからだろう。

参加した高校生や学生、講演会に参加の親子から、「天文学が学べる大学」を尋ねられるが、残念なことに沖縄にはなく、内地の大学を薦(すす)めることになる。

沖縄の大学では、島嶼(とうしょ)を生かした海洋科学や文化、医療、経済などを学ぶことはできるが、他県にはないこのすばらしい星空とその文化を本格的に学び研究できる大学が、沖縄にはないのである。

天文学講座を設けたことで、受験者が学部定員の数倍になった大学もあり、大学で天文学を学びたいと願っている高校生は多い。

機会があれば、「沖縄の星空を、沖縄の大学で学ぼう」と、講座設置を要望している。夏休みは終わったが、県内の教育関係者の皆さんには、自由研究として、沖縄の大学で天文学が学べる取り組みを始めていただければと思う。

めぐりくる星

２０１８年12月12日　沖縄タイムス「唐獅子」

今、天文ファンの間ではウィルタネン彗星（すいせい）（46P Wirtanen）が話題になっている。久々に明るい彗星で天文雑誌などには、撮影された画像が続々と発表されている。

私は今年古希を迎えたが、この彗星は誕生年の１９４８年に発見され、その後70年間、５・４年の周期で太陽を廻っている。直径は１・２キロメートルの氷の塊で、発見されてから14回目の来訪となる。

特に、この12月には地球に最も近づき、４等星の明るさになるといわれており、双眼鏡で見られるようになる。

彗星といえば、１９６５年に２人の日本人が発見し20世紀最大と騒がれた「イケヤ・セキ彗星」がある。静岡の池谷薫（いけやかおる）さんと高知の関勉（せきつとむ）さんの発見した大彗星だ。沖縄でも、明け方の東の空に飛行機雲のような尾を引く姿を今なお憶えておられる方が多い。

関さんは、私の郷里の高知県在住で、先日も四万十市でご一緒に天文講演をさせて頂いた。関さんの彗星発見時の思い出話は、何度聞いても感動させられる。このため参加者には、東京や関西など他県から来られた方も多かった。

この発見には、その年の9月に東海地方を襲った台風24号がかかわっている。

夜明け前、関さんは台風が通過して、強風がパタッと止まり周りが静かになったことに気づき目覚める。家の外に出ると満天の星空が見え、大急ぎで望遠鏡を持ち出し、彗星探しを始めたそうだ。

一方、静岡の池谷さんは台風が直撃し、大嵐の中にいたが、突然風雨が収まった。台風の目に入ったのだと気づき空を見ると、これまたすばらしい星空が広がっていた。すぐさま望遠鏡を持ち出し、彗星探しに挑戦するのだ。

そして、このつかの間に、お二人はほぼ同時に彗星を発見したのである。なんという劇的な発見だろう。アマチュア天文家としてのお二人の執念には驚かされる。

彗星のように突然現れる星を中国や、琉球王朝では「客星（きゃくせい）」と呼んでいる。今回のウィルタネン彗星は、華々しさはないが、久々に目で見られる「客星」だ。

16日には、むりかぶし（群星、すばる）のすぐ傍にやってくる。暖かい服装をして、このお客さんをお出迎えしてみよう。

美（ちゅ）ら海、美（ちゅ）ら花、そして美（ちゅ）ら星　自然豊かな八重山の島々

2019年　JTB八重山会『YAEYAMA island PAPER』

八重山の星空が観光資源として、注目されるようになって久しい。「まさか、星でお客さんを呼べるとは思ってもいなかった！」、そんな声が八重山の島々で観光に携わる方々から聞こえてきます。今や「星空産業」と言ってもおかしくない盛況さです。

2002年、国立天文台が口径20メートルの電波望遠鏡を備えるVERA（ベラ）石垣島観測局を設置したことをきっかけに、その夏から南の島の星まつりがはじまり、さらに2006年には九州沖縄では最大の口径105センチのむりかぶし望遠鏡を備える石垣島天文台が完成し、全国に「星の島、石垣島」が知られるようになりました。

それは、なによりも八重山諸島では、南十字星など21個の1等星のすべてや、88星座中の84星座、天の川など、日本一美しい星が、日本一たくさん見られるからなのです。「この星空を観光資源に」の思いに、最初の共感して頂いたのがJTBさんでした。

今では、星空観望会や星空ガイドツアーも、石垣島天文台だけでなく、八重山の各島々でも開催されていますし、ガイド養成の講座なども開催されるようになりました。旅行雑誌も片隅に申し訳なさそうに載っていた星の話題が、大きな写真の入りの見開きページで紹介され、ミニ星空ガイドが付録にもなるほどです。昨年はほとんどの航空会社が機内誌で、八重山諸島の星空紹介を掲載してくれました。

星の名前の付いた泡盛やお菓子などのお土産品も増え、観光客に喜ばれるようになしました。ホテルや民宿などでも独自に星空ガイドを始めたり、リニューアルや増築を機会に星空観望の場所を設けたり、夜の照明を工夫して、星空を観光資源として活用するようになっています。星空観望を取り入れた教育旅行、体験学習ツアーも増えてきています。

石西礁湖（せきせいしょうこ）に代表される美しいサンゴ礁の海、梯梧（でいご）やサガリバナなど亜熱帯の花々に、星空が加わり、自然豊かな八重山の島々が注目されています。西表石垣島国立公園が拡大され、西表島が世界自然遺産の候補となり、この星空がＩＤＡ（ＮＰＯ国際ダークスカイ協会）に「星空保護区」として認定されようとしています。

国の内外から公式な高い評価を得ている八重山諸島の美ら海、美ら花、そして美ら星。この他に類のないような自然豊かな環境、自然を守ることで、八重山観光をさらに発展させましょう。

南の島の星まつり

伝統的七夕(たなばた)

2006年7月20日　琉球新報「南風」

7月7日の星まつりに誘われ楽しみにしていたが、当日はあいにく雨となった。そもそも7月は、沖縄をのぞけば日本列島はまだ梅雨(つゆ)のさ中である。

幼稚園や保育園、学校で七夕(たなばた)飾りをし、歌や踊りでお祝いをしても、その夜に星空を仰ぎ、天の川や彦星、織姫星を見ることはできない。ましてや都会では、街の灯りが夜空をも明るく照らし、天の川など見たこともない子どもがたくさんいる。

移り変わる自然に合わせ親しまれてきた日本古来の祭りを、新暦でおこなうことには無理がある。七夕の星まつりも星が見えなくては意味がない。

国立天文台では2001年、「子供たちに星空のすばらしさを知ってほしい」と、旧暦の七夕の日を「伝統的七夕」と称して、「この夜は1時間のライトダウンで無駄な灯りを消して星空を眺めよう」と呼びかけた。これには共感も多く、全国紙でも報道された。しかし「1時間といえども、街中の灯りをライトダウンするなど不可能だ」という自治体が多く、結局実現できなかった。

そこで、翌年に石垣市や八重山星の会に「石垣島でできないか」と相談したところ、「やりましょう！」との二つ返事があった。そうして始まったのが「南の島の星まつり」だ。ライトダウンと同時に頭上に天の川が見事に甦（よみがえ）り、拍手が起きた。今や、全国から1万人が集まる大イベントとなった。今年の伝統的七夕の日は7月31日。「南の島の星まつり」は、29、30日に開催され、ライトダウンは29日の夜だ。

天の川は私たちの棲（す）む銀河系である。太陽のような星、恒星が1千億個ほど、10万光年の広がりをもって巡り集まり、宇宙の片隅で輝いている。夏の夜のひととき、そんな我が銀河系の姿をしばし眺めてみるのはいかがなものだろう。

月ぬ美(かい)しゃ

2007年9月2日　八重山毎日新聞「日曜随筆」

今年の「南の島の星まつり」は、台風8号の接近が予想されるということで、参加者の安全を考え、中止を決めた。その時は、猛烈な台風ということで、昨年の台風13号のことが脳裏をかすめ、中止もやむをえないかと思ったが、幸いにも台風は南よりの進路をとり、大した被害もなくすんだ。そうなると、すべてを完全に中止にしたことが悔やまれてくるのが人情だ。

星まつりの夜に美崎町を歩くと浴衣姿の観光客が目についた。聞くと、星まつりの会場に行くつもりで持参してきたそうだ。星まつりが中止と聞いても、気持ちがおさまらず、浴衣姿で気持ちだけは星まつりをしているというのだ。星まつりの「勝手連」版である。

島の人たちも、「年に1回、島の人がみんなで星を見るのが星まつりサ。ライブは中止なっても、1時間のライトダウンはして、集まれなければ、おウチで星を見ればいいのさあ」「その日は、島の人たちがいっしょに星を見るというのが大事さあ」「ライトダウンまで中止にするかは、その日に決めればいいさあ」と残念がってくれる。

「島の灯りを1時間だけ消して、家族みんなで天の川を見よう」という、星まつりの原点であるこの考えが、すっかり島の人々の心にもなっているようで、うれしかった。

そんな8月も終わり、もう9月だ。先週は皆既月食があったが、9月といえば、月の話題が多い。石垣島では「とぅばらーま大会」だ。「月ぬ美しゃ十三日」という歌謡に合わせて、旧暦8月13日にあたる9月23日に開催される。そして、今年の中秋の名月は、25日になる。

八重山では、月が南に高く昇るのを「月ぬ真昼間（まぴろーま）」といい、民謡にもなっている。道路がまだ珊瑚やその砂でできていた頃は、月の光が白く照らし、外灯がなくても夜道が歩けたという。舗装道路も、せめて白くできないだろうか。月夜の晩は、外灯を消して、月光浴をしながらのコーラルウエイを散歩する、ムーンライト・ウォーキングなどはどうだろう。

また、打ち上げが延期されていた月周回衛星SELENE（セレーネ）が、13日に打ち上げられる。アポロ計画以来の、本格的な月の探査計画となる。衛星の名前は、公募で「かぐや」となった。日本最古の物語とされる「竹取物語」のかぐや姫が由来である。かぐや姫は満月の夜に月へと向うが、衛星「かぐや」は、新月の頃の朝となる予定だ。

打ち上がれば、石垣島の名蔵のVERA（ベラ）観測局は口径20メートル電波望遠鏡で、月を周回する衛星「かぐや」の位置を1年にわたり観測する予定だ。そうすることで、月の山や海の高低を衛星だけで測るよりも5倍以上の精度で正確に測れることになる。

衛星の打ち上げは、H—ⅡAロケット13号機で行なわれる。「月ぬ発射、十三日」、打ち上げ後、地球を25周して月に向う。無事に月の周回軌道に到達してくれることを祈りたい。

十三夜の月

星まつりの少女

２０１２年４月30日　総合文芸誌『邂逅』

今年２０１１年、石垣島の天文界では、いろんなことが10年の節目を迎えた。

国立天文台が天の川銀河の立体地図作りを目指して、口径20メートルの電波望遠鏡を備えるＶＥＲＡ（ベラ）石垣島観測局を建設したのが、２００２年で、10年となる。このＶＥＲＡ観測局の完成を契機に始まった、「南の島の星まつり」も10周年を迎え、今や全国に知られ、「日本最大の星のイベント」と評されるまでになった。

「星まつり」などを、天文台と連携して実施したり、星空ガイドや天体観測の楽しさを普及する活動をしているＮＰＯ法人八重山星の会も、設立10周年となった。この10年の活動が評価され、環境省などが主催する「星空の街、あおぞらの街」全国大会で、環境大臣賞を受賞し、この二つを祝う祝賀会を12月19日催している。

僕にとっては、石垣島に来るようになって、あっという間の10年であったが、この間の発展もすばらしい。市民の皆さんや星の会の願いが叶って、九州沖縄で最大の口径（105チセン）を持つむりかぶし望遠鏡を備える石垣島天文台もできた。

特に、島を挙げてライトダウンをし、天の川をみんなでみようという南の島の星まつりが10年続き、大きく発展した意義は大きい。

今年の3月11日の東日本大震災と福島第1原発の事故が重なり、節電ムードが高まり、天文ファンの有志が、星まつりの原点となる10年前の「伝統的七夕キャンペーン」を思いおこしてくれた。

「街の明かりを1時間消して、天の川を見よう！」という「伝統的七夕キャンペーン」は、2001年に国立天文台が提唱し、マスコミからも大きな支持を得たが、結局全国でどこも実現しなかった。

翌年に、VERA石垣島観測局の建設で全面的に協力を頂いた大濵長照市長に、完成の御礼かたがた訪ねた際に、このことをお話ししたところ、即座に「石垣市でやりましょう」と言ってくれ、その夏に、星の会などの協力も得て、3者が中心となって実施することになった。

それが、全国で唯一、名実ともに実現している「伝統的七夕」イベントで、今日に至っているのだ。先述の「星空の街、あおぞらの街」全国大会では、「天文関係で国内最大のイベント」と評されている。

「伝統的七夕」は、石垣島では「南の島の星まつり」とネーミングされ、準備が始まった。大濵市長が「やりましょう」と言ってはくれたが、「星を見るために街の明かりを消す？　人を集める？」と、市の関係者は困惑気味で、担当部署が決まらないまま、天文台と星の会で準備が進められた。

最終的には、広報広聴課が担当してくれることになった。さっそく、課長補佐のMさんが、「宮地さん、懐中電灯を20本用意してください」と連絡があった。

「とにかく、参加者の安全だけは確保しなければいけませんので」と、会場警備や駐車場整備を担当する方を集めてくれた。

Mさんは、次々と手を打ってくれた。「明日、市役所で記者発表して、PRに協力してもらいましょう」との電話がきた。僕は、まだVERAの立ち上げ作業時期で、作業服程度しか持ってきてなかったので、急きょ観測局に近い名蔵湾沿いのみね屋に走り、初めてミンサーを買い求め、翌日ミンサー姿で記者発表に臨んだ。外からのお仕着せのイベントでなく、島のイベントとして、定着させたいとの気持ちもあってのことだ。

この記者発表は、好感をもって受け止められ、新聞には何度も紹介され、大きな宣伝となった。特にＩＣＴ石垣ケーブルテレビは、市民の方によく見られているようで、「ミンサーが似合っていたね」と、何人もから声をかけられた。

気分が良くなったこともあるが、ミンサーは高温高湿の石垣島では、着心地も良く、その後、僕の石垣島での〝制服〟となり、毎年いくつか買い足して、それなりの数になった。

市の方の体制は、整って来たが、今度は星の会から「宮地さん、百名くらいしか集まらないかも」と弱音を言い出した。挙句の果てには「会員の50名は大丈夫です」というのだ。

とにかく、5月のVERA開所記念で、少年自然の家でおこなった天体観望会に250名も来たのだから、千名は集めたかった。毎晩のように電話で打合せを重ね、事務局長のAさんは、休暇までとって、ポスターの張り出しやライトダウンの呼びかけに奮闘してくれた。

星まつりの当日は、昼過ぎから会場準備で、星の会のTさんら数名とサザンゲート緑地公園に出かけた。Tさんたちが、望遠鏡を並べ、大型スクリーンの設置をしているのを観ながら、僕はお客さんに参加記念でプレゼントする小型の星座図鑑を受け付けの机の上に並べていた。

受付のテントは擬木（ぎぼく）のフェンスのそばに設置されていたが、ふと見ると小学生と思われる少女が、いつの間にかその擬木に上に座って、僕の作業を眺めていた。

男の子なら、「風の又三郎」か、「星の王子様」が現れた時のような突然さがあった。

「なにをしているの」、目が合った瞬間、ニコリとして首をかしげながら、こちらが言いたかった言葉で、語りかけてきた。

「えー、これは今夜くるお客さんにあげる星座図鑑だよ」と答えて、聞き直した。

「もう、学校は終わったの」

「私、学校に行ってないの」

登校拒否か、不登校か、学校にはきょうだけでなく「ずぅーと、行ってない」、そういうことだった。

「どうして、ここに来たの」と、聞くと、

「この前、先生にあったとき、『学校に来なくてもいいけど、今度星まつりがあるから、そこには行ってきなさい』って言われたので、来たの…」と、応(こた)えてくれた。

擬木に腰を掛け、足をぶらぶらさせながら、空の彼方を眺めているこの女の子を見ながら、なんという心遣いをする先生だろうと思った。

無理に学校に来させるよりも、星まつりに行けばこの少女が何かを感じてくれるのではと、思ったのだろうか。

「そうなの、いい先生だね」というと、

「そうね」とうなずいた。

しばらく、今夜見える天の川や星の話をしていたが、望遠鏡の準備もあり、その場を離れ、再び戻ってきた時には、その少女はもういなかった。

暗くなり始めた会場には、家族連れなどが続々と集まり、用意した1千部の星座図鑑はまたたくまになくなった。ＶＥＲＡのパンフレットは、千部がさらになくなった。２千名を超える参加があったのだ。

ライトダウンの時間になり、会場の明かりが消され、街の明かりも消えてゆくと、参加者の頭上に、うす雲が流れるように天の川が甦ってきた。会場からは、大きな拍手が起きた。

あの少女も、会場のどこかで、この天の川を見てくれていることを願った。この星空から、何かを得て欲しいなと思った。

あれから、10年。今、その時の少女はどうしているのだろうか。10周年を迎えた南の島の星まつりだが、いつもずっと、このことが、気がかりとなっている。

石垣島で、２００２年から毎年旧暦七夕の頃に開催されている「南の島の星まつり」

八重山で見る天の川

2014年10月26日　琉球新報「東風」

今年の夏は、台風の来襲もなく、八重山では毎晩のように、星空を南から北へと流れる天の川が美しく見られました。

「島の灯りを消して、天の川を見よう」と、石垣島で始まった「南の島の星まつり」は13年目を迎え、すっかり「星の島」が定着してきましたが、今年はさらに進化しました。「星の名前をつけよう」は2回目ですが、新たに沖縄では最大級となる「隕石展」、「美ら星の歌」募集などが加わりました。

特に、石垣島在住の歌人俵万智さんに選者をお願いした「美ら星の歌」は、全国から122作品の応募がありました。

特選には、「母ちゃんと買い物帰り星を見る　あった見つけた夏のさそり座」が選ばれ、俵さんは「日常のなかに、星を見上げる時間があるんですね。ほほえましい親子のひとときが、生き生きと伝わってきます」と評してくれました。

夏の南の空に、天の川から天に昇るように見えるさそり座の勇ましい姿は、島を訪れる観光客を驚かせますが、こんなにやさしく詠まれると、さそり座も可愛く見えてきます。

さそり座の赤い星アンタレスは、さそりの心臓とされていますが、天文台では、S字の尾が釣り針に見えることもあり、「八重山では、赤い星は、ビーチャー（酔払い）のオジイで、天の川でうなぎを釣っているのですよ」と昔からの言伝えを紹介しています。

「星まつり」で天の川が甦ったとき、島のオジイ、オバアが、「昔は、家族そろって縁側で、天の川を見ていたよ」と、喜んでくれました。

「ビーチャーのオジイは、今夜もうなぎが釣れたかねぇ」、美しい天の川の広がった今年の夏は、縁側やベランダから、家族みんなで、こんなお話をしながら、星空観望を楽しんでくれたのではないでしょうか。

書評「本当の夜をさがして」

２０１６年11月20日『天文月報』ＶＯＬ．１０９

ポール・ボガード著、上原直子訳
白揚社、４１４ページ、定価（本体２４００円＋税）
分類（読み物）お薦め度☆☆☆☆★

天文観測をするためには、透明度、暗さ、シーイングの３つの条件が必要であるが、東北大震災を契機にして、星空、そして「光害（ひかりがい、こうがい）」への関心が再び高まってきた。

「光害」が問題にされはじめて、40～50年になる。当時は、高度成長時代で、そんなことを提唱しても「負け戦」とも言われた。実際その通り、長年にわたって「光害」は、ほとんど関心が払われなく、賑やかな明るい街が、私たちに星空を忘れさせてしまった。

本書は、その「負け戦」を世界各地で戦い続けている人々の活動を紹介し、「省エネ」「環境保護」などとともに、関心が高まってきた「星空」「暗い夜空」の素晴らしさとその保護の必要性を教えてくれる。

世界各地で天の川や夏の大三角、流れ星が見られる夜空を取り戻しつつある。石垣島天文台も島のみなさんの協力で周辺が暗くなり、天の川が流れる夜空が甦り、観光客からは「今回の旅で一番良かった」という声が上る。

イタリアで25年もこの活動に取り組んできた高校の理科教師ファルチさんは、星空を見上げることは「心を開いて大きな視野をもつために必要なもの」という。天文学的な興味や星空を愛することだけでなく、星空のもとでの心地よさ、癒（いや）される気持ちが、暗い夜空への関心を高めている。

自宅の水道の水が出っぱなしであれば、誰もが蛇口を締めるが、夜空に放たれっぱなしの照明の光には関心がない。野外の照明は税金で払われているので、その莫大な無駄に気づいていない。ヨーロッパで17億ユーロ、アメリカで22億ドルになる。

星空を見る「権利」についても触れている。ユネスコでは、光害のない夜空について「あらゆる環境的、社会的および文化的権利と同等に、人類の奪うことのできない権利」と宣言している。2007年にカナリア諸島で開催された国際会議でも「星を見る権利を守る宣言」がされたことを教えてくれる。

「暗い夜空」を失うことは、生態系にも大きな影響を与えている。絶滅危惧種の減少だけではない。人間の健康もそうだが、文化を失うことにもなると警告している。

本書の章立ては、前後逆で9章から始まっている。「光害」問題よりも「星空保護」に関心があれば、後ろの1章からが良い。

石垣島でもＶＥＲＡ（ベラ）観測局や石垣島天文台が建設されたのをきっかけにして、星空保護の機運が高まっている。珊瑚礁の海だけでなく、島の星空が、地域振興や観光資源として注目されているからだ。国立天文台が提唱して始まった街の明かりを消して天の川を観ようという企画「伝統的七夕」も「南の島の星まつり」として、15年続いている。

本書の付録部分でＩＤＡ（国際ダークスカイ協会）東京支部の越智信彰氏（東洋大）も紹介しているが、アジアの中で、韓国に次いで、日本初のダークスカイプレイスの指定も受けようと地域をあげて取り組まれている。

国内でも、星空やその保護への関心が高まりつつあるが、これに関わる方々には、本書の一読をお薦めしたい。

七夕（たなばた）星まつり

2018年7月25日　沖縄タイムス「唐獅子」

7月7日は七夕（たなばた）星まつり。今年は、八重山諸島の小浜島北東にある無人島カヤマ島で、この島では初めての星まつりが開催され、ガイド役で参加した。

平年だと7月7日は、本州などはまだ梅雨の真っ最中である。国立天文台では、2001年に日本の伝統的な七夕行事を、「梅雨も明けた旧暦の7月7日に開催し、できれば街の明かりを1時間消して、みんなで天の川を見よう」と訴えた。マスコミも賛同し全国的に宣伝されたが、結局どの市町村でも実現しなかった。「今時、街の明かりを消すなんて不可能」というのだ。

2002年に、国立天文台のVERA（ベラ）石垣島観測局が完成し、謝辞を述べるために石垣市長を表敬訪問した際、このことが話題となった。なんとこれを聞いた市長は、「それを石垣市でやりましょう」と言われ、この夏から始まったのが「南の島の星まつり」である。

今回の星まつりは、このカヤマ島を活用している地元のホテルと星空の利用について相談する中で、「沖縄の7月7日は梅雨も明け、素晴らしい星空が見えるのに、七夕をしないのはもったいない」という私の一言が、「やりましょう」になった。さすが、民間企業である、決定すれば、取り組みも早い。

だが、星空はお天気次第である。開催日が近づくにつれ、「晴れるでしょうね」といろんな方が言ってくる。直前には大雨が数日続き、「テントを何度も張りなおした」など、スタッフの苦労話も届く。さらには、台風8号が発生。予報進路の先は八重山諸島で、心穏やかでいられない日々が続いた。

当日、島に着くとスタッフから「『にぬふぁぶし』の方角はどちらになりますか」と聞かれた。「にぬふぁぶし」は、北極星のこと、子（ね）の方角にある星で、小浜島から来られた6人の神司（かんつかさ）が、この星に星まつりの無事を願（にんが）いされるという。

雲が夕焼けに赤く染まり、歌手の夏川りみさんが「海開き」ならぬ「星開き」を宣言し、星まつりが始まった。ライブが続いた後、私が担当する星空ガイドのための周りの明かりが一斉に消された。

夜空を見上げると、神司の願いがかなったのだろう、雲一つない満天の星空が広がっていた。島に伝わる星の民話などを紹介しながら、「にぬふぁぶし」に感謝した。

星見石の探究～幻の「川平湾の星見石」発見の顛末～

２００９年3月　『国立天文台ニュース』研究トピックス

☆星の和名の集大成である「日本星名辞典」

日本に古くから伝わる星の和名や古天文学を研究している研究者にとって、野尻抱影（のじりほうえい）（１８８５―１９７７）の著である「日本星名辞典」（昭和48年（１９７３年）11月５日初版、東京堂出版、写真1）は、バイブルのような存在で、この種の研究会などでは、必ずと言って良いほど引用されています。

この本は、今なお星の和名研究の第一人者とされる野尻抱影が、それまでにまとめていた約７００種（「日本の星」第2集、昭和32年（１９５７年）、中央公論社）を上回る約９００種の星の和名を収め、その研究の集大成として、１９７３（昭48）年11月に発行されたものです。

写真1　野尻抱影著「日本星名辞典」1973年初版発行

「はしがき」の冒頭では、「広辞苑」の編者である新村出の随筆「星の名」を紹介し、その中に書かれた『友』とあるのは、他ならぬわたしのこと」と、新村出との関係を誇らしげに述べています。また、「恐らくこれ以上に付け加える星名は稀れなのではないか」と自負もされています。これも、「日本星名辞典」が、星の和名の「広辞苑」と自他共に認める本であるからでしょう。

「川平湾の星見石」は、この本の中で「沖縄の星名　特に八重山諸島の星」と章を改めて編まれ、紹介されたものです。

☆沖縄に憧れていた野尻抱影

この本には「沖縄の星名 特に八重山諸島の星」の章があります。野尻抱影は、沖縄に憧れめいた興味を持ち、大正七、八年ごろには、当時石垣島測候所長だった岩崎卓爾が上京したと聞いて雑誌記者を訪問させて記事を書かせたり、方言学者の宮良當壮、古謡研究者の喜舎場永珣らとも繋がりをもって、星名を収集し紹介をしています。

喜舎場永珣は、自著「八重山民俗誌」で、「私共が子供の頃まで、……『星見石』と称するものが設けられてあって」「昴星座の運行と播種期を忠実に観測することが各島村の古老の一大責務であった」と述べています。

野尻抱影は、このような、彼らの著作を引用し、「むりかぶし（群星：すばる）」の和名を紹介し、八重山諸島では農作業で播種（はしゅ）の時期などを知るために「星見」が行われ、この星の位置を測る際につかわれた「星見石（ほしみいし）」や、言い伝えが残る「群星御嶽」を、写真を添えて紹介をしています。

特に「星見石」については、「それで六四年、石垣島へ渡航した人に頼んで星見石を探させた。なかなか発見できなかったが、漸く川平湾の海岸の籔林の奥で、苔蒸したその石を見つけて撮影してきた」とし、「石垣島・川平湾の星見石（左側の白い部分に文字が記してある）」のキャプションを付けた写真も載せています。

☆農作業に使われた星見石

沖縄の八重山諸島は、内地から1000キロ以上、本島からでも400キロ離れた南西諸島最南端に位置する亜熱帯の島々です。このため八重山諸島に暦（太陰暦）が伝わるのは遅く、元禄11年（1698年）といわれ、それまでは時節を知るのに星や月が暮らしの中で重要な役割を果たしていました。

労働の歌「ゆんた」にも、星ぼしが謡いこまれ、星にまつわる民話も数多く残されています。豊年祭の旗頭には、太陽や月、星などが飾られています。郷土文化を尊ぶ沖縄では三線(さんしん)の音楽とともに、古謡、舞踊が今日まで引き継がれていますが、星や月にかかわるものも多く、「星見石」などと併せて「星文化」といわれています。

村々で、「むりかぶし」の位置を竿や石を使って測り、稲や粟や麦などの作物の播種や取入れの時期を知ったということが古文書に書かれており、また「むりかぶしゆんた」などに謡い込まれています。星の位置を測るのに使われたというのが「星見石」で、今もいくつか残されています。

写真2　「日本星名辞典」に掲載の「川平湾の星見石」の写真

☆見つからない「川平湾の星見石」

このため、何人かの研究者は、この「星見石」を一度見てみようと石垣島に調査に来られています。私も、1999年よりVERA計画や石垣島天文台の建設に関わり、石垣島に出かけるようになり、時間があれば、八重山諸島の星文化や「星見石」についての調査をしてきました。

しかし、石垣島の郷土史の研究家の黒島為一氏（元八重山博物館長）、石垣繁氏（元八重山文化研究会長）や、教育委員会の関係者も、その存在について聞いたこともないというのです。川平湾に何度足を運んでも、川平地域の出身者にお尋ねしても知っている方がいないのです。

２００８年になってお会いできた、星の伝承の研究者である北尾浩一氏も、１９７９年の調査で見つけられなかった（２００８年2月私信）と言い、古天文学研究者の杏林大学（当時）の横尾広光さんも、２００７年に石垣島に来られ、私も同行し調査を行いましたが、やはり見つけられませんでした。文字通り、幻の「川平湾の星見石」となっていたのです。

☆手配写真を眺めていたら

そこで私は、数年前から「星名辞典」に掲載されている「星見石」の写真をコピーし、みなさんに配って、指名手配犯を探すように情報集めを始めたのです。そして机の前にも張り、毎日眺めていたのですが、２００８年の春になって、「どこかで見たような気がする！」と思い、調べてみると、なんと同じ石があったのです。

犯人を追う刑事は、指名手配の写真を毎日見ていると、街で出会った瞬間に「貴様だな！」とわかるそうですが、まさにそんな感じでした。

それは、石垣島から西に4キロほど離れた隣の島、竹富島にある「星見石」だったのです。島の中央にある赤山公園を、戦後の1953年につくった際に、与那国家の畑から運び、「なごみの塔」の下に設置した「星見石」が、幻の「川平湾の星見石」と同じだったのです。「星名辞典」には、1964年に撮影とあるので、移設後にこの場所で撮られたのでしょう。

黒島氏も、北尾氏らも以前にここを訪ね、写真を撮り、「竹富島の星見石」と紹介もされています。私も、みなさんも「川平湾にある」という先入観があったので、この「星見石」を見

写真3　竹富島の「星見石」

ても、これがそうだとは、今まで思いも寄らなかったのです。

☆場所は、海岸の藪林ではなかった

確認のために、竹富島の赤山公園に行ってみると、琉球石灰岩でできた「星見石」が、「やっと分かったか！」というように、芝生の上で初夏の太陽を浴び、どかっと鎮座していました。辞典の写真の説明にある「左側の白い部分に文字」は、石に塗られたセメントに刻まれており、「星見石ノ由来：往古ハ暦ナク草木ノ緑ノ模様星ノ出没ノ模様等デ春夏秋冬ノ季節ヲ定メ以テ作物ヲシタト言フ」と、今も読み取れます（写真4）。

念のために、この石が元あったという畑を、持ち主の与那国光子さんの案内で、見せて頂きましたが、そこは見通しの良い畑が広がる場所でした（写真5）。これは、「川平湾の海岸の藪林の奥で見つけた」とする「星名辞典」の記述と矛盾します。すると、野尻抱影が写真を取り違えただけで、やはり別に存在した可能性が残ります。うーん……。

☆〔後日談〕野尻抱影も、後で知って、書き換えていた！

この「川平湾の星見石」についての報告を、２００８年に岡山で開催された秋季天文学会で、講演発表する日の朝、１通のメールが届いていました。それは、「私の知人が持っている

写真4　「星名辞典」にある「由来」が刻まれた部分、「星見石の由来」なども文字も読み取れる

写真5　昔、星見石が置かれていた与那国家の畑。ここから、赤山公園まで、コロを使って運ばれていった

『日本星名辞典』には、『竹富島の星見石』と書かれているようです」という内容でした。びっくりです。

後日、出版社に聞いてみると、「2000年に12版を出してその後絶版になりました。この間、誤字脱字を直したことはありますが、内容を書き変えたという記録はありません」との回答でした。

そこで、初版以外をチェックしようと出版社や国会図書館に全版が揃っていないか尋ねましたが、初版本しか保存してないとの返事でした。

幸いにも国立天文台の図書室に、2年後に出版された再版本があるのを見つけましたが、なんと、その版には、「それで六四年、石垣島に渡航した人に頼んで星見石を探させた。漸く川平湾の籔林で見つけて撮影したとあるが、写真は竹富島にある星見石にまぎれもない」と書き改められていたのです。

そして、写真のキャプションも、「石垣島・竹富島の星見石」と変更されていたのです（正しく校正するなら、「石垣島・」をトルべきですが）。初版出版後、誰かに間違いを指摘されたのか、それを知って書き直しをしていたのです。

これまで、なぜ気がつかなかったのか、それは多くの研究者が所有している「日本星名辞典」が初版本であり、また権威ある野尻抱影が晩年に研究の集大成として出版した本ということで信頼され、よもや書き換えがあったなどとは、誰も思っていなかったのです。また科学書ではないということで、出版社もこの程度の訂正は「誤字脱字の修正」の範疇と思い、再版発行時に内容に変更があったことを読者に知らせなかったのでしょう。

野尻抱影自身も、「川平湾の星見石」を１９６４年に見つけた後、出版までの10年の間に訂正などの新しい情報もなく、何の疑念もなく掲載してしまったのです。これが「竹富島にある星見石にまぎれもない」と気づくのは、初版を出版した後になってのことでした。

「日本星名辞典」は、戦前戦後にかけて、全国から送られてきた千通ほどの手紙やはがきなどの情報を元にまとめられたもので、おそらく確認作業はされてないのでしょう。

今回の「幻の『川平湾の星見石』の発見」を通じて、その情報の確かさを改めて検証することの重要性を痛感しました。各地に伝わる星の伝承、和名も、それぞれの地元で改めて調査をしてみることは、大変重要で新しい発見があるかもしれません。

いつかまた、沖縄の「星見」の習わしや、「星見石」「星見場」の調査について、報告させていただければと思っています。

むりかぶしと星見石(ふしみいし)

2018年10月17日　沖縄タイムス「唐獅子」

台風25号が去って、八重山でも夜風の涼しさに秋の気配を感じるようになってきた。

体育の日の連休は、天気予報が外れ、台風一過の星空が広がり、夜更けには「むりかぶし（群星、和名は「昴(すばる)」）、プレアデス星団」が東の水平線から、青白く輝く星々が、その名の通り群れ集まって昇ってきた。もうそんな季節だ。

「むりかぶし」は、沖縄への誇りや愛着が込められた「うちなぁかなさうた（県民愛唱歌）」である「てぃんさぐぬ花」の中で、「天上に群れる星は、数えれば数え切れても、親の教えは数え切れないものだ」と謡われ親しまれている。清少納言も「枕草子」で「星はすばる」と、夜空の星の中で、最も美しいと褒めたたえている。

八重山の村々では、400年ほど前から明治の初めまで、この「むりかぶし」の高さや位置を測り、播種(はしゅ)などの農作業の時期を決めていた。そこで使われたのが星見石(ふしみいし)で、まだいくつかは残っている。

また、昔の井戸のそばには、「ここで星見をしていた」という「星見場」も残っていて、確認のためにそのお家の庭に入れさせて頂いたこともあった。

星見石は、琉球石灰岩でできた高さ1メートル60センチほどの立石状のものと、直径40センチほどの石臼（いしうす）状で、中心の穴に棒を挿して、その棒先で星の位置を測るものがある。ただ今は、ほとんどが移動されていたり、保存状態が良くなかったり、何回か壊され継ぎ足し状態だったりで、ちょっと残念である。

石垣島では、農地の土地改良で保存できなくなり、教育委員会の倉庫に運ばれたままのものもある。講演会の席で紹介していると、席の前から「その石は、私が畑から移して立てておいた」と、いわれびっくりして、後日お訪ねをし、当時のお話を聞かせて頂いたりもした。

竹富島では、聞き取りをしていると、傍らで手仕事をされていたご婦人が「家の前を、細い丸木のコロを使って運んでゆくのを見たさ」と、貴重な目撃談を聞くことができた。

昔、島の畑人（はるさー）は、毎晩のように星見石で「むりかぶし」を観測していたようだ。美ら星が輝く夜は、仕事も忘れ、ゆっくりと星空を眺め、「むりかぶし」の星がいくつ見えるか、数えてみたりしてはいかがだろうか。

Ⅱ

美ら(ちゅ)星の魅力

春の星空
夏の星空
秋の月星
冬の星空

星になった子どもたち

2006年8月3日　琉球新報「南風」

国立天文台のＶＥＲＡ（ベラ）石垣島観測局は、於茂登岳のふもとにある。少し山道を登ると、岩肌からキラキラと木漏れ日を浴びながら冷たい水がほとばしり出ている場所があり、そこには水の神様も祭られている。

ある時、この水が流れ行き名蔵川にとなってゆくあたりを、白水というのだと教えてもらった。「美しい名前ですね」と心からそう思ってお礼を述べたところ、「悲しいお話もあるのですよ」という応えが返ってきた。

太平洋戦争末期、米軍の石垣島上陸を予想した日本軍は海岸線を守るためだと、住民を山間部へ強制疎開させたが、白水地域をはじめ多くの疎開場所はマラリアの発生地であったため、

3千人を越える人々が、そこで病死したというのだ。

真実をもっと知りたくなり、八重山平和祈念館を訪ねた私がさらに衝撃を受けたのは、入り口に展示された写真の表に書かれていた歌「星になった子どもたち」の歌詞であった。

「南十字星／波照間恋しいと／星になった／みたまたち／ガタガタふるえた／マラリアで／一人二人と／星になる／……」

波照間島から西表島に強制疎開させられた子どもたち323人が、食べ物も薬もない中で、次々とマラリアにかかり66人が亡くなった、そのことを歌にしたものだった。

「忘勿石（わすれないいし）」の話もこの時知った。疎開先で学童を失い、この文字を岩に刻んだ校長先生の気持ちを思うと辛い。広島、長崎、沖縄と共に忘れてはならぬ「八重山」である。

石垣島天文台の望遠鏡の愛称、「むりかぶし」（プレアデス星団）にも子どもたちが星になったのだという民話が数多く残されている。だが、八重山のように戦争で子どもたちが星になるというようなことは、けっしてあってはならないと思う。

星の聖紫花（せいしか）

2006年10月26日　琉球新報「南風」

石垣島にVERA（ベラ）の観測局が完成し、しばらくして、「群馬のアマチュア天文家のKさんが、自分が発見した小惑星にVERAにちなんだ命名をしてくれる」というお話が届いた。

それなら、お世話になっている地元の名前が良いのではと、すでに命名されていた水沢を除く「入来、小笠原、石垣」の市町村名をお願いすることにした。この話を八重山星の会にしたところ、みなさんからいろんな提案が出てきた。最後は事務局長のAさんと相談し、「聖紫花」の命名もお願いすることにした。

「聖紫花」は、西表島や石垣島に残る「絶滅寸前の幻の花」という。郵便切手にもなっている石垣島のバンナ公園の聖紫花を見に行ったが、薄紫色のツツジに似たなんとも可憐な花である。

Ｋさんは、小惑星を数多く見つけておられ、快く承知してくれたが、決めるのはＩＡＵ（国際天文学連合）である。２００３年の5月、申請が認められ、沖縄では初めて、「石垣」と「聖紫花」が星の名前になった。

今の季節は、「石垣」と「聖紫花」が昇ってくる。肉眼では見えないが、むりかぶし望遠鏡では、「石垣」の撮影に成功し、次は「聖紫花」をと計画していたところで、台風13号の被害を被った。

この２つの星の命名の労をとってくれたのは、４月まで国立天文台の天文情報センターで広報普及員をされていたＮさんだった。命名が決まった時は、その記事が載った「小惑星回報」を見ながら、いっしょに喜んだ。

そのＮさんの訃報が、先週突然に届いた。むりかぶし望遠鏡で、この２つの小惑星の写真を撮り終えれば、天文台といっしょに見てもらおうと思っていたところだった。

本当に残念でならない。慎んで御冥福を祈る次第である。

八重山諸島に残る幻の花「聖紫花」

北斗七星はどこ

2018年11月28日　沖縄タイムス「唐獅子」

天体観望会で星座案内をする際には、その場所での方角を確認して頂くことにしている。まずは、北の方角である。「みなさん、北はどっちでしょう」と尋ねると、「私の知っている星座は、北斗七星ぐらいですが…」といわれてキョロキョロされるが、「あれ、見つかりません。北斗七星はどこでしょう」とけげんそうな顔をされ、聞いてくる。

沖縄では今の時期、北斗七星は北の水平線の下に沈んでいて見られない。ご存知のように、北の空の星々は、「にぬふぁぶし」として知られる北極星を中心に反時計回りに周回しているが、北極星の高度が低い沖縄では、下回りになると水平線の下に隠れる星座が多く、見られなくなる。

そこで北斗七星に代わって使われるのがカシオペヤ座である。図鑑などでは「Wの形に見える」と紹介されているが、北の夜空にははっきりと「Mの形」に見えていて北の目印になる。

２０１４年2月に、石垣島天文台と北海道名寄市のなよろ市立天文台とで交流協定が結ばれたが、その事前打ち合わせで石垣市役所の方と北海道を訪れた。夜道で星空がきれいなので車を止めて、カシオペヤ座から北極星を探していると、市役所の方が、「あれは、北斗七星ですか」と、指を差しながら驚きの声をあげた。

黒い大地の地平線に柄杓(ひしゃく)を横にして置いたように、北斗七星が見えたのである。私も、こんなにはっきりと北斗七星が横たわっているのを見るのは、この時が初めてで、市役所の方と2人で感動しながらしばし眺めていた。

北極星の下を星座が通って見えるのを天文用語では「下方通過」という。北斗七星は、おおぐま座の一部なので、星空案内では「北海道では熊の神様が一年中見守ってくれている」と説明する。また、こと座のベガも「下方通過」して、沈むことがないので、「織姫さんは一晩中夜遊びをしているのです」と、笑いをとったりする。

これからの季節、北海道や東北から大勢の観光客が沖縄に来てくれる。北斗七星は見えないが、南の空には、北の国では見えないアケルナルやカノープスなどが輝いている。南北に細長い日本列島の場所による星空の見え方の違いを楽しんで頂ければと思う。

夏の星空

いゆちゃーぶし

2018年7月11日　沖縄タイムス「唐獅子」

石垣島天文台を退職して1年半ほどになる。退職をしたが、郷里の高知に帰らず、そのまま石垣島で市民として、文字通り「悠々自適」に暮らしている。

島に残った理由の一つは、沖縄、特に八重山の星々が古くから島の暮らしと深く関わっていることに興味をおぼえ、少し調べてみたいと思っているからである。

例えば今、石垣市では、夕方になると防災行政無線を利用した「夕暮れチャイム」という放送が流れる。子供たちに、暗くなるから、そろそろお家に帰りましょうと帰宅を促すが、遠い昔は、こんな星座が使われていた。

沖縄では、ハーリー（海神祭）が終わると夏本番で、青空が広がり、夜になるとさそり座が南の空高くにくっきりと、天に昇る竜のように見える。観光客も、飲食街に繰り出そうとホテルの玄関を出るや、「あれはさそり座じゃないか！」と、空を見上げ、指をさして、びっくり声を上げる。

それもそのはずで、多くの星座の本は「さそり座は、夏の星座で、南の空に横たわって見える」と紹介されている。本土の梅雨明けは、7月末で、その頃のさそり座は西に傾いて横たわって見えるからだ。

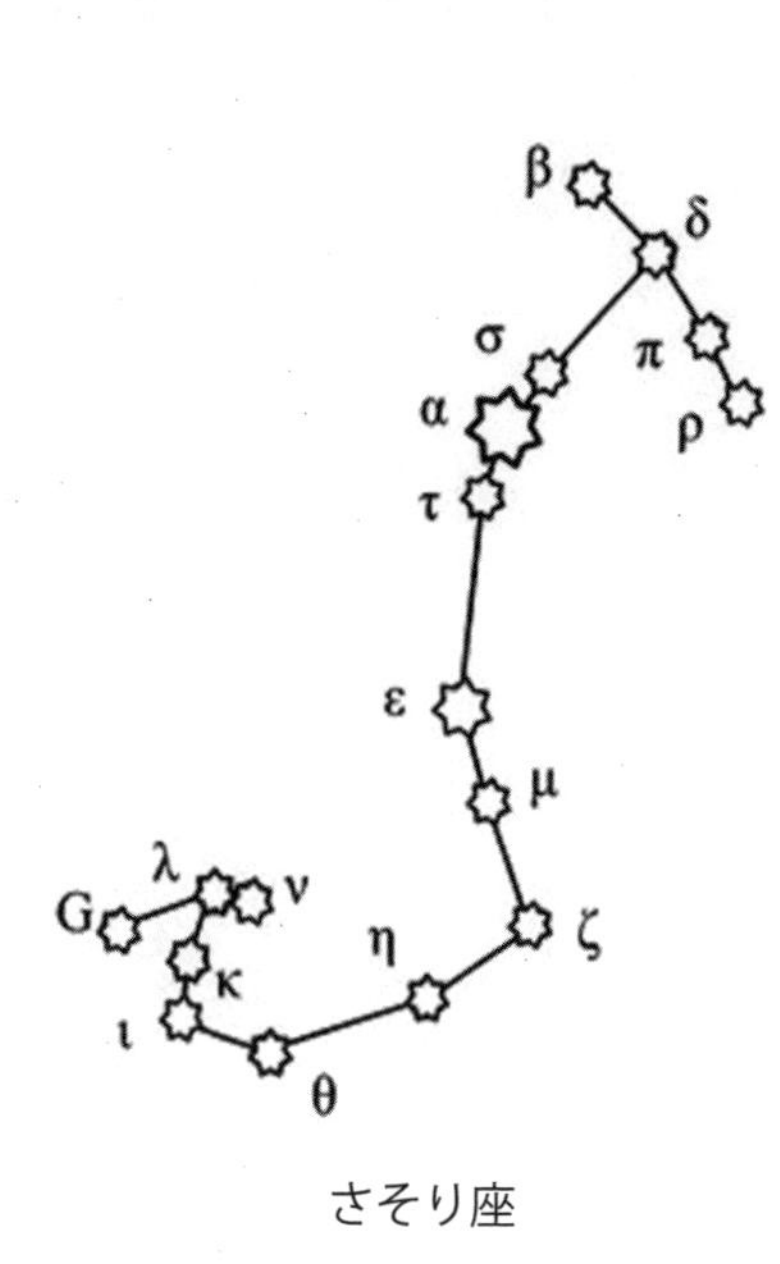

さそり座

空高く天に向かって立つさそり座は、梅雨明けも早く、本土から緯度で10度以上も南に位置する沖縄でこその見え方である。

この見事なS字の形は、釣り針にも見える。広くポリネシアなど太平洋地域でも同じで、「釣り針座」「魚釣り星」と呼ばれている。

沖縄ではさそり座を「いゆちゃーぶし」というと聞いた。島の人に尋ねてみると、「確かに魚を『いゆ』と呼び、釣り針を『いゆちゃー』『いゆじー』とか言ってたかな」とのこと。「ぶし」は「星」で、これもよく知られている沖縄口（うちなーぐち）だ。

島では昔、夏の夕暮れ、「いゆちゃーぶし」が見えてくると、外で遊ぶ子供たちを見掛けた大人たちは、星座を指さして「そろそろお家（うち）に帰らないと、天の大王にあのいゆちゃーで、首根っこを引っ掛けられて、天にもっていかれるよー。怖い怖い、早くお家に帰ろう！」と、声を掛けたそうである。

「夕暮れチャイム」が流れ始めたら、さそり座を指さして、子供たちにこんなお話をしてみたい。

涙する星空

2018年8月8日　沖縄タイムス「唐獅子」

私の郷里は高知県で、今その小さな町の小さなギャラリーで、地元の天文ファンの方々と天体写真展を開催している。

私は、八重山の島々で撮った星空の写真を何点か展示させてもらっているが、ある日、私の写真の前で一人のご婦人がたたずみ、涙していたそうである。

ギャラリーの方が、傍に寄って声を掛けると、そのご婦人は「てぃんがーら（天の川）」の写真を見ながら、「こんな美しい星空が、まだ日本にはあるのですね」と仰り、「感動して、自然と涙が出てきました」とのことだった。

星空だけではない、沖縄には本当にすばらしく、感動させられる亜熱帯の自然が数多く残っている。島の周りに広がる美しいサンゴ礁の海、世界自然遺産登録を目指すやんばるや西表島の深い森、色とりどりの花々、そして夜の星空がある。この豊かな自然の中に身を置くことで、心が癒(いや)されるという観光客が、島々に増えている。

この自然環境を守ることが観光資源になる。20年ほど前に「この星空を守り、観光資源にしよう」と提案した時は、あまり関心をもってもらえず、島は明るくなる一方で、星空紹介は観光ガイドブックの片隅に載ればよい方だった。

それが今や、星空観賞のための観光施設が整い、バスやタクシーを利用した星空ツアーも組まれ、「星空産業」といわれるまでになってきた。ガイドブックや航空会社の機内誌では、見開きや付録にして、星空紹介を掲載している。

石垣島天文台ができてからは、星空保護、光害への関心も高まり、周辺のホテルなどでは、建物や敷地内の照明に注意を払っていただけるようになった。竹富島では、新しいリゾートホテル建設に、島の方々が条件をつけ、完成した時は、島全体から夜空を照らす明かりが全く見られなくなった。

東日本大震災が起き、日本中が打ちひしがれていたその翌年の新年に「幸せを招く」月の光でできる「月虹(げっこう)」を石垣島天文台で撮影でき、全国で喜ばれたのも、竹富島が暗くなっていたからである。

郷里のこのご婦人にも、ぜひ八重山に足を運んでいただいて、今度はしっかりと本物の星空を眺め、感動を新たにしてほしいものだ。

やんばるの星窪（ふしくぶ）

2018年8月22日　沖縄タイムス「唐獅子」

夏の天文ショーとして、よく知られているのが、ペルセウス座流星群だ。8月13日がピークだが、見られる期間は、7月17日から8月24日までと長く、まだ楽しめる。

また夕方の西空には、金星が見え、木星、土星、火星と東の空まで惑星が並び、天の川も南から北に流れている。残り少ない夏休みだが、星空はまだ十分堪能できる。

12日、沖縄本島の最北端、国頭村（くにがみ）の辺戸（へど）岬で開催された「やんばる星まつり」に招かれて出掛けた。台風の通過直後で開催が心配されたが、時折雲が切れ、満天の星空に天の川や惑星、流れ星も見られた。夏の星座、さそり座などをレーザーポインターで解説もできた。

思った通りの素晴らしい星空だった。東シナ海と太平洋に囲まれ、深い森が広がるやんばるの漆黒の空に星々が満ちていた。この暗さの星空は貴重で、世界自然遺産として、守り続けて欲しいものだ。

実は国頭には以前から行きたくて、今回、講演を含めお誘いがあったときは、喜んで即座に引き受けた。それは、国頭には、「星窪（ふしくぶ）」という、昔ここに星が落ちたと伝えられている場所が残っていると聞いていたからである。

「球陽」の付巻として作成された「遺老説伝（いろうせつでん）」に「星窪」の記録が残されている。国頭村の北、宇座原地（うざばるち）の話として、「太古の昔、ある夜に星が落ち窊坎（わかん）（＝窪地（くぼち））を作った」と記されている。

また１９８０（昭和55）年に、地元の小学生たちが調査をし、「やぎ小屋のところにある」と、細長い窪地の図が手描きされた報告書を残している。ぜひ見たいと思うのは当然である。

７月に、一度出掛けてみたが、良く分からなかった。今回の星まつり講演会で、「星窪」にもふれたところ、講演終了後に、文化財保護委員長が、「希望者の方にはご案内しますよ」とのこと。十数人で行ってみると、なんと、その窪地部分は、「やんばるクイナ展望台駐車場」への道路にされていた。残念ではあるが、それでもよく見ると道路の両側に、まだ窪地の土手の一部が面影を残している。

「星窪」の科学的な検証は難しいかもしれないが、今もやんばるの森には、星空へのロマンを誘うお話が残っているのは確かである。

秋の月星

白夏（すさなつ）の太陽

2006年9月14日　琉球新報「南風」

石垣島は亜熱帯なので四季を感じることはないだろうと思っていたが、島の人たちと話をしているうちに、すばらしい言葉で表される季節があることに気が付いた。

たとえば、今の季節は「白夏（すさなつ）」と呼ぶ。「白色の動詞『白む』には、衰えるとか、薄らぐとかいう意味がある」と、元気象台職員だったMさんに教わった。なるほどみごとに今の季節を言い表している。

Mさんは、島に来た時から会いたかった方だ。1941年（昭和16年）の「白夏」の頃、石垣島で皆既日食があった。太陽が衰えるどころか消える現象だ。東京天文台が派遣した観測隊は、石垣島測候所のMさんにお世話になっていたからだ。

その後、Mさんに会えた。「それはオヤジです。私はまだ子供で、木漏れ日(こもれび)が三日月の形になるのを観察したりしてました」。月日の流れを感じた。以来何かと教わっている。

その年の8月、第2次世界大戦の戦況が心配されるなか、天文台はその9月21日の石垣島での皆既日食に観測隊を派遣する決断をする。台長からの突然の命令に、隊員は大慌てだった。「時日が切迫して居り、新しい機械を注文する時間的余裕もなく、ある機械の中から適当なものを選んで組み合わせた」とある。

神戸を出港、台湾を経て石垣島に到着するが、接岸できず、Mさんのオヤジさんら測候所員が艀(はしけ)を出し、観測機器を運んでくれた。観測小屋や機器の設置では、地元の人たちの手助けがあった。昔も今も地元の協力があっての天文台である。幸いこの時期に台風もなく最高の観測ができている。

9月に入って、確かに日差しが和らいできている。微妙な季節の移ろいを島人と同じように感じ楽しめるようになった自分にもうれしい「白夏(すさなつ)」の太陽である。

布を織る星

2006年11月9日　琉球新報「南風」

昔から怖いものと言えば、「地震、雷、火事、親父」だが、先日あれだけ猛威を振るった台風が入ってない。なんとも変だと思っていたら、「親父」は、もともとは「山嵐（やまじ）」であって、台風のことだと教わった。台風が入っていて少し安心した。

台風13号が去った夜の石垣島は全島停電だった。「本当のライトダウンになって見た満天の星のすばらしさに、台風の怖さを忘れた」と話す人は少なくない。被災地で、夜の星の美しさに心を癒（いや）され、元気づけられたという人の話も納得できる。

私の郷里の土佐で、元禄11年のこの季節に大火災があった。昼の12時半頃に出火し燃え続け、夜の10時にやっと鎮火したという。その夜に、「流星が布を織るように飛び交った」と、天文暦学者の谷秦山（たにじんざん）は記録している。

この時の流星は、大火で焼け出された人々に、癒しどころか、いっそうの恐怖をつのらせたことだろう。その後、これは2001年に大出現で話題となったしし座流星群の過去のものだとわかり、貴重な資料となっている。

沖縄では、5年前のしし座流星群の前年にも、たくさん観測されている。流星群を見て「お星さまがみんな落っこちる」と泣きだす子供がいたそうだ。みごとな流星に拍手するカップルもいた。星降る島の夜空には、布を織る星ぼしが忙しく飛び交っていたのだ。

今年のしし座流星群のピークの予想は、11月18日、19日。月も新月に近く空は暗く、観測には適している。1時間に数個から10数個は見えるはずだが、実際はいくつ見えるか楽しみだ。

流れ星が見えている間に、願い事を3回すると叶うという。願い事を用意して、布を織る星に、願いや夢も織り込んでもらうのはどうだろう。

しし座流星群（川添晃撮影）

星に願いを

２００７年10月14日　八重山毎日新聞「日曜随筆」

この季節になると、しし座流星群の問い合わせが増えてくる。２００１年に流星雨の大出現があったので、また見たいというものだ。

八重山では、その前年にもたくさんの流星が見えたそうで、「いやぁー、その晩は、これは何だろうと思ったさあ」という話をよく聞く。夜空が暗く、東京に比べても緯度で10度以上も南に位置し、その分だけ星空が多く見える八重山だからこそだろう。

新彗星を6個も発見し、世界中からコメットハンターと称される関勉(せきつとむ)さんが、先月高知から石垣島に来られて、さそり座が「ずっと、高いところに見える」と感動された。その南の空から立ち昇るような天の川を眺めながら、「本土では見えないこの星空の中に、八重山の方々が新しい星を発見してくれれば、どんなにすばらしいことか」と期待もされた。

20世紀最大の彗星となったイケヤ・セキ彗星もそうだが、彗星は太陽系の彼方から太陽に近づき、太陽をぐるりと回って、もと来た場所へと遠ざかってゆく。汚れた雪だるまのような天体と例えるが、八重山では石垣島ぜんざいを丸く固めたような天体と言った方が分かりやすいかも知れない。それが、太陽に近づくにつれガスや塵（ちり）を噴き出し、彗星の通り道には、この噴き出された塵が帯状に漂うことになる。そこを地球が通過すると、この塵が地球の大気に飛び込み、摩擦熱で燃えて輝き、流星となって見える。

「お星さまが、みんな落っこちるー」と子供が泣き出したという微笑ましいエピソードも聞いたが、ほとんどは直径が数ミリ以下のまさに星屑である。地球が滅びるのではと心配をすることもない。流星群の元となる彗星を母彗星（ぼすいせい）というが、しし座流星群の母彗星は、テンペル・タットル彗星になる。

沖縄では、流れ星のことを「ふしぬやーうちー」という。「星の引越し」という意味だ。大出現のしし座流星群は、民族大移動となるのだろうか。実はこのことは、美崎町で島酒を飲んでいたお店に貼られていた「沖縄版50音表」という児童向けの教材で知った。首里あたりで使われていたことばをまとめたものだ。八重山での呼び名も知りたくなる。さすが星文化の島だ。美崎町で島酒を飲んでいても教養が高まる。

引越しといえば、戦争中は疎開というものがあった。八重山には、「戦争マラリア」という日本軍による住民の強制疎開による悲惨な出来事があった。高校教科書の検定問題が起きた時、真っ先に思い出し、「島の住人が自主的に疎開した」というようなことにさせてはいけないと思った。石垣島に来て、「忘勿石（わすれないし）」の話を知り、八重山平和祈念館の玄関に飾られている「星になった子どもたち」の歌詞を見た時の衝撃は、深く心に残っている。

流星群がたくさん見られるのが極大で、しし座流星群の今年の極大は、11月18、19日と予想されている。一時期ほどの大流星は期待できないが、いつもよりは多く見えるはずである。流れ星が見えている間に願いごとを3回唱えると叶えられるという。今年は、流れ星が見えるたびに、「平和、平和、平和」と叫ぼうと思う。

西表島南風見の「忘勿石」の碑

中秋の名月

2018年9月19日　沖縄タイムス「唐獅子」

あっという間に9月も後半だ。今年は9月24日が旧暦の8月15日で、「中秋の名月」である。八重山では、「ふちゃぎ（吹上餅）」という魔よけの小豆をまぶしたお餅を供え豊作に感謝し、一年の無病息災、家内安全を願う。ただ「満月」は、翌25日である。

天文学が発達して、月齢が15日になる日を「満月」の日にしているため、年により「中秋の名月」は「満月」でないのだ。正確を期すあまり、少し風情が失われた。ちなみに、次に「中秋の名月が満月」なのは、2021年である。

「月は東に、日は西に」と言うが、満月が昇ってくる頃、西の空に赤く丸い太陽を見ることがある。月と太陽が離れているのは、やんばるの古い話によると、「天の神様が、天秤棒（おほこ）に太陽と月をぶら下げて歩き廻っていたが、ある時棒が折れて、太陽と月が遠くへ転んでいってしまった」からだそうだ。

月は太陽のようにまぶしくないので、よく眺められ、クレーターの山や海と呼ばれる地形の明暗を、いろんなものに想像している。

日本では「月で、うさぎが餅つきをしている」ことになっている。沖縄では「娘が担槽（たんご）で水を運んでいる」のが見えるそうだ。

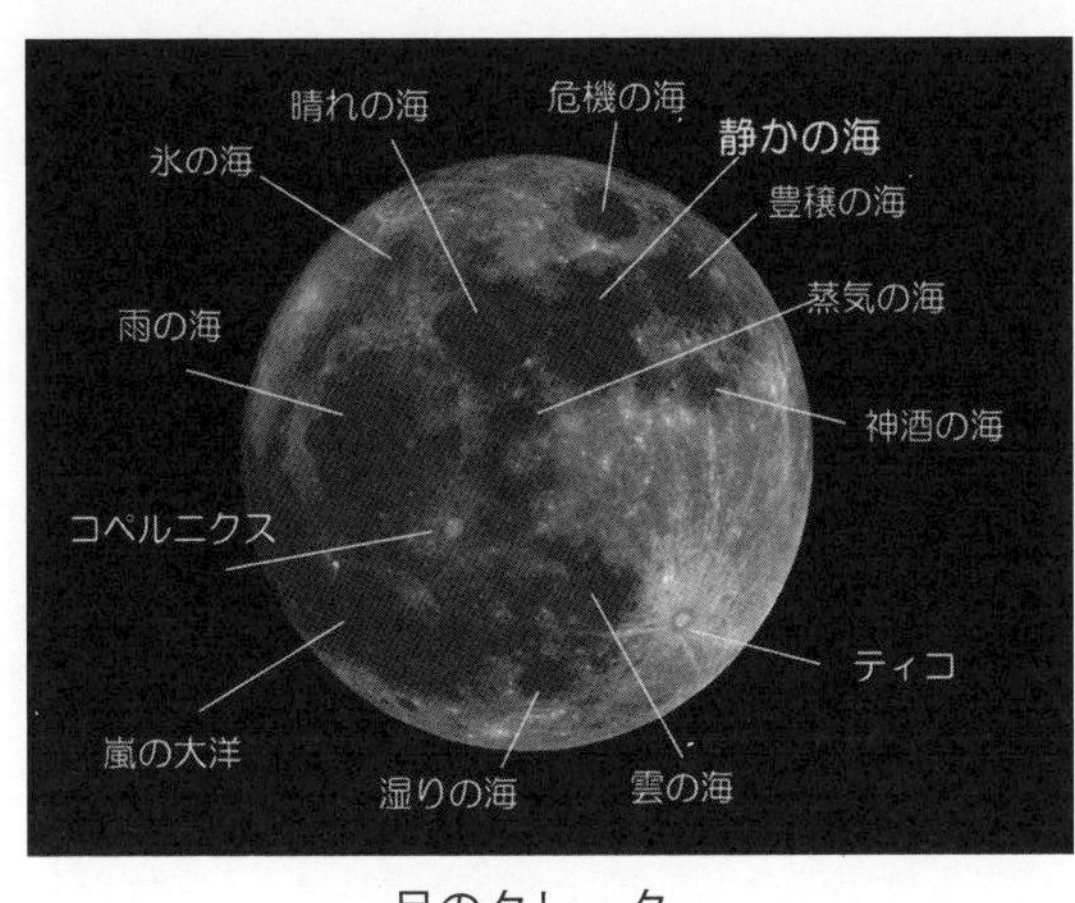

月のクレーター

　また「月ぬ真昼間（まぴろーま）」という古謡や、「星ぬ真昼間（まぴろーま）」という言葉もある。「真昼間」は、天文用語の「南中（なんちゅう）」のことで、天体が真南の最も高い位置にある状態。満月であれば、浜辺も昼間のように明るく、昔は夜遊びには絶好の夜になっていた。

　石垣島の玉取崎には、「月夜浜節」が残る。人頭税時代、岬の周辺では、年貢にする木綿の綿花を苦労して栽培していたが、畑一面に咲き誇る白い花の姿を見て、月夜の浜のように美しいと謡（うた）っている。

　月は、形も毎日変わり、満月、三日月、半月、新月などと呼ばれる。八重山の古謡でよく知られているのが「月ぬ美しゃ」だ。

「月の美しいのは（満月ではなく）、十三夜の月。娘の美しいのは（二十歳(はたち)でなく）、十七歳」と謡う。そして満月である大月(うふつく)には、「その優しい平和の光で八重山も、沖縄も、（世界も）照らしてくださいね」との願いを込めて謡っている。

30日は、県知事選挙の投開票日である。平成最後の「中秋の名月」を眺め、月の光に照らされる沖縄の未来を誰に託すか考えたい。

日本で最もたくさんの星

２０１８年10月3日　沖縄タイムス「唐獅子」

沖縄では、21個ある1等星のすべてが見られる。本土の最南端、鹿児島でも16個しか見られず、残り5個の1等星は、さらに南の沖縄でないと見られない。日本で最もたくさんの星が見えることで、「星空を沖縄の観光資源に！」となる。

4個は、クリスマスから夏至の頃まで見られる南十字星とケンタウルス座のそれぞれのα(アルファ)星β(ベータ)星。もうひとつの1等星は、この時期から見られるエリダネス座のアケルナルである。

星座図鑑などでは、「秋は1等星が少なく、南の空には、みなみのうお座のフォーマルハウトしかなく、『秋のひとつ星』と呼ばれる」と説明されているが、沖縄ではもう1個、アケルナルも見え、「『秋のふたつ星』になるので、寂しがることはないよ」と、星空ガイドでお話すると笑顔が返ってくる。

エリダネスは「川」、アケルナルは「川の端」という意味で、エジプトではナイル川とされている。この星が見るようになると、ナイル川が氾濫し、下流に肥沃な土壌が運ばれてきた。日本でも、秋雨前線と台風の影響で大雨になり、洪水が起きたりする季節になる。

この季節、夜が更けてくると、東の空から「ペガスス座の四辺形」が昇ってくる。「秋の四角形」とも呼ばれ、星座図では「天馬」が描かれており、星空を東から西へと駆け巡る。石垣島に残る古文書「星圖」には、「大ヨチヤ星」と四角い星座が描き記されている。

沖縄の最西南端、波照間島の伝承話「油雨」によると、大昔、島人の心が荒れて争いが絶えなくなった島を見た天の王様が、お腹立ちになり、真っ赤な油雨を降らせ、島を焼きつくしたそうだ。

その時、洞窟に逃れた心優しく行いの正しい兄妹2人が、王様に命を救われ、洞窟から出た後、星空のこの四辺形の星からヒントを得て、4本柱の家を建てたのが、島の再建の始まりとされている。

台風が来襲すると、一晩中停電になったりする。島の人々は、さぞかし難儀をされたのだろうと心配していると、翌朝には後片付けをしながら、「久しぶりにきれいな星空を見たさー」「気持ちが癒されたさー」と、元気にあいさつを交わしている。

前夜に、日本で最もたくさんある島の星からパワーをもらったのだろう。

しかまぶし（仕事星）

2018年10月31日　沖縄タイムス「唐獅子」

日が沈むと一気に夕闇が迫ってくる。文字通り「秋の日は釣瓶落としのごとく」である。いつの間にか、夕空に宵の明星（金星）が、見えなくなっているのに気づかれているだろうか。夜が早く来るので、「見逃したかと思った」という方もおられるが、今の時期、金星は太陽と先を争うように、そのそばを移動している。11月に入れば、太陽を追い越し、暁けの明星として日の出前に、東の空に姿を現すようになる。

金星は、「おもろさうし」の中でも「ゑけ　あがる　あかぼしや／ゑけ　かみぎや　かなままき」と詠まれている。「あかぼし」は、赤い星ではなく、とても明るい星という意味で、金星が光り輝く神の弓矢の先のように見えると讃えられている。

夕方の一番星にもなるわけだが、明星は「夜明けの明るい星」で、喜びや希望を与えてくれる星として親しまれ、企業や雑誌、グループの名前にも採用されている。

八重山では、「しかまぶし」と呼ばれ、「仕事の星」とされているが、「仕事にかまける＝熱中する」という意味だそうだ。明け方に見えれば、農作業の始まりで田畑に出かけ、夕方に見えれば仕事の終わりで、家路につくことになる。

お家では、夕方に金星が見えるようになると、子供たちは親たちが畑から戻って晩ご飯になるので、「ゆーばんぶし（夕ご飯の星）」と呼んでいたという。なんともほほ笑ましい呼び名ではないでしょうか。

本島北部の国頭では、夕暮れの金星を「わたくしぶし（私星）」と呼んでいたという。昼間の仕事の収穫は、ほとんどが琉球王朝への年貢になってしまうが、「しかまぶし」が輝き始めた後は、自分のものにしても良く、その時が来たことを教えてくれた星だったのだ。

竹富島にも、同じような話が残っていて、前回（本書110頁、「むりかぶしと星見石（ふしみいし）」）の「星見石」を「むりかぶし」で観測し、種まきの時期などを計画的に決める農法と共に、八重山の暮らしが豊かであった理由にされている。

秋の臨時国会を前に、安倍首相は「消費税の10％引き上げ」を表明したが、景気や家計への影響は必至だ。消費税を納めても庶民の暮らしは豊かになるだろうか。「しかまぶし」を眺めながら、わが暮らしを案ずることになりそうだ。

冬の星空

天女か、クラゲか

2007年11月25日　八重山毎日新聞「日曜随筆」

もう後1週間もすると師走だ。忙しくも何か華やいだ時節の到来である。これからクリスマスに向けて、商店街は豆電球やＬＥＤで作られたイルミネーションが輝き始める。石垣島に来て驚いたのは民家でも、少なからず玄関や庭の立ち木、さらには家屋全体を美しく飾りつけていることだ。今や年末の風物詩となっている感がする。

イルミネーションは、小さな灯りをつなげ、花や動物を形作ってゆく。かつて羊飼いたちが星空を眺めながら、身近な動植物やギリシャ神話を思い浮かべ、星をつなげ星座にしていったのに似ている。八重山には、「むりかぶし」「ぱいかぶし」といった、地域特有の星座があるように、それぞれの商店や家庭で作られる光の絵柄にも趣があって楽しい。

この師走、天文界では夜空に輝くホームズ彗星の話題が続いている。10月24日に突然増光し、2日足らずで40～50万倍の明るさになった。それまで17等星だったものが、2等星までになり、夜空に輝いたのだから、世界中ビックリである。この現象を「アウトバースト」と呼ぶ。太陽の近くであれば、その熱の影響も考えられるが、太陽と地球の距離の2・4倍、地球から3億7千万キロメートルほど遠い火星と木星の軌道の間で起きたもので、その原因はわかっていない。

この場所には小惑星帯があるので、「小惑星が衝突！」ということも考えられ、何人かの専門家が数万個の小惑星の軌道を調べたが、該当するものはなかった。「ホームズ彗星」は、その名が示すように、発見したのは探偵シャーロック・ホームズの活躍の舞台、イギリスはロンドンの天文研究家だ。「ワトソン君、これは一体何が起きたと思うね」と、小説同様に、これからの謎解きにわくわくさせられそうだ。

「むりかぶし」望遠鏡では昨年5月にも、シュヴァスマン・ヴァハマン第3彗星が突然バーストし、中心核が分裂して吹飛ぶようすをみごとに捉えている。今回のホームズ彗星は、あまりにも明るく撮影に苦労をしたが、中心から噴出すガスや塵のようすを鮮明に捉えることができた。この画像は13日の本紙で紹介され、石垣島天文台のホームページでも公開しているが、微細な構造がわかると関係者には大好評だ。石垣島の星空と「むりかぶし」の大口径の威力がここでも発揮された。

　このガスや塵の微細な構造が、「羽衣をまとう天女が舞うかのよう」に見えると言ったら、ＩＣＴ石垣ケーブルテレビの記者さんに「すごい想像力」だとあきれられた。しかし、ディスプレイの画像をじっと眺めていると、本当にそう思えるのだ。彗星研究の大御所コメットハンターの関勉さんは、高知の地元紙に彗星の写真を載せ、「宇宙に浮かぶクラゲのようだ」と語っておられた。この想像力もすばらしい。

　次第に暗くなってきているが、まだ双眼鏡で覗くと、月の大きさにボォーと広がって見える。このまま暗くなるのか、また明るくなるのかわかっていない。５分くらいの周期で明るくなったり、暗くなったりしているという報告もある。興味津々な彗星である。さて、みなさんには、どんなふうに見えたのだろうか。まだの方は、ぜひ一度見て欲しい。

子の年、子の星

2008年1月13日　八重山毎日新聞「日曜随筆」

新年が始まった。年が改まるという暦の上での約束事ではあるが、一年に区切りをつけて、また新しい気持ちで一日を歩み始めるのは、清清しいものだ。今年は子年、十二支の干支の最初に当たり、なにか良いことが起きそうな気もする。

星にも子の星がある。八重山では、「にぬふぁーぶし」と呼ばれる北極星のことだ。古謡の「てぃんさぐぬ花」の中で、漁に出た船が夜は、「にぬふぁーぶし」を目印にして航海するように、自分を産んでくれた親を目標に生きるのですよと歌われている。

また、「むりかぶし」も歌い込まれている。「むりかぶし」は星がたくさん群れているが、数えれば数えられる。しかし、親の教えは数え切れないほどたくさんなのだと歌い上げる。親の愛を「にぬふぁーぶし」「むりかぶし」に例えた感動的な古謡である。

星にまつわる古謡は多いが、「てぃんさぐぬ花」は、石垣島に来始めた頃に馴染みとなったスナックのママが、「星に関係ある良い歌よ」と歌って紹介してくれた。近頃は、酒の肴（さかな）に星の話題もでるようで、夜になると居酒屋などから質問の電話がきたりする。

明日は「成人の日」、石垣市の成人式は正月4日に催されたが、大人になっても、親の教えや愛情を肝に染めて忘れずに、またどこにいても「にぬふぁーぶし」「むりかぶし」を見れば思い出して欲しい。

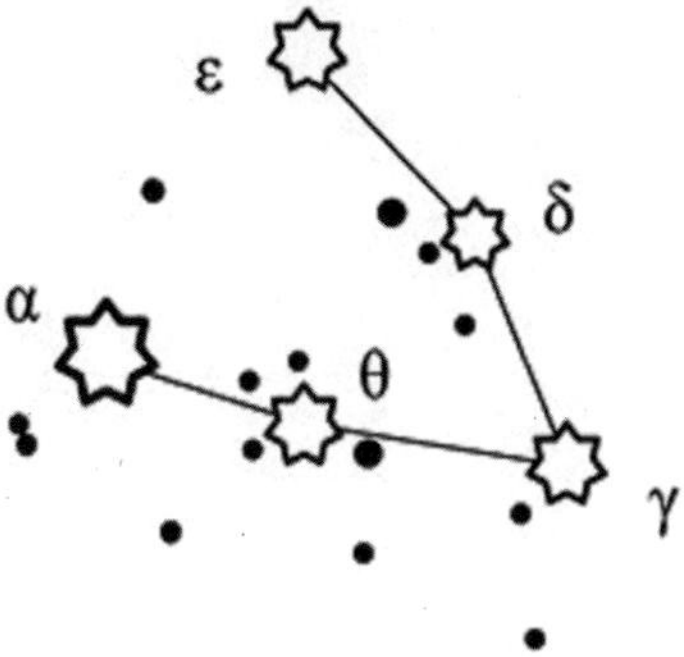

成人の日は、古来の元服に由来し、昔は数え年で年齢が決まり、元旦にいっせいに成人になるが、旧暦正月は新月の闇夜なので、最初の満月の日である15日となった。戦後1月15日が「成人の日」の祭日として定められたが、２０００年からは第2月曜とし連休となった。旧暦15日であれば、東の空に成人を祝うにふさわしく煌々たる満月が昇ってきただろう。

ヒヤデス星団（おうし座）

7月7日の七夕もそうだが、星や月にちなむ旧暦の行事を、新暦に無理やり合わすと趣がまったく違ってくる。「僕の涙できっと曇らして見せる」といった「金色夜叉」の「今月今夜のこの月」は、1月17日の月であるが、現在の暦では毎年その月齢は異なり、同じ17夜の月を曇らせることはできない。

ところで、石垣島天文台が新年にお客さんを迎えるのは、実は今年が初めてである。天文台の話が持上がってから4年目になるが、完成が遅れたり、台風被害にあったりで、新年からオープンしたことはなかった。「大勢来られてますよ」と、スタッフから明るい声で報告を受けたときは嬉しくなった。

新年からの天体観望会では、２年２か月ぶりに地球に最接近中の火星を見て頂いている。むりかぶし望遠鏡では、極冠（きょっかん）と呼ばれる北極の白い氷や、昔は火星人が作った運河と思われた縞模様が楽しめる。次にこれほどの最接近があるのは２０１４年、さらに１・５倍も大きく見える大接近は２０１８年となる。

ぜひ一度ご覧になって欲しい。そして、家族団欒の場で、スナックや居酒屋などでの酒の肴（さかな）に、話題にしていただければ幸いである。

宇宙「島豆腐」

2018年11月14日　沖縄タイムス「唐獅子」

先週は、竹富町と同町観光協会が実施する「美ら星案内人」の育成講座の講師役を引き受け、3年ぶりに小浜島に出かけた。

今回は、この時期にしては珍しくすばらしい星空が広がり、講義半分で、みんなで実際の星空を眺めることになってしまった。

深夜になって細崎（くばさき）の公園に、一人で出かけ星空の写真撮影をしてみた。東の水平線が石垣島の街の明かりで明るかったが、西の空には夏の大三角が見え、そこから冬の天の川が北の空に流れ、カシオペヤ座がMの形に並んで見えた。

南の空には、赤く明るく火星が輝き、やぎ座やみなみのうお座に「秋のひとつ星」フォーマルハウトも見え、水平線の上には、10月3日のこの欄（本書137頁「日本で最もたくさんの星」）で紹介したアケルナルも今が季節で明るく見えた。

国頭村の辺戸岬の近くには、ヤンバルクイナの形をした展望台があったが、小浜島の先崎の公園には、マンタを模った展望台がある。この下から見上げるとマンタが星空を泳いでいるかのように思えた。

写真に収め、翌日の講義で紹介したり、知人にメールで送ったりしたが、すこぶる好評で、深夜まで頑張ったかいがあった。

島には、再確認しておきたい事もあった。「星見石」と同じように使われた「節定め石」で、集落から畑に向かう道に出る三差路に置かれている俵状の石で、方位を示す十二支の位置に穴がある。そこに竿を挿して群星に位置を測り、農作物の作付時期を決めていたそうだ。存在を確認でき一安心した。

もう一つ気になっていたのは、「宇宙大豆」である。2011年にスペースシャトルで宇宙に運ばれ、戻ってきた小浜島の大豆「クモーマミ」の種を育てているのを前回畑で見た。その後どうなったかを知りたかったが、その畑を見つけられなかった。

たまたま島の知人と出会い、このことを尋ねたが、「聞いておくね」ということだった。私の郷里、高知では、宇宙から帰還した麹で作った日本酒を「宇宙酒」で売り出し人気をえている。島でも、この大豆を使って特産品を作りたいねという話にもなった。

大豆なので豆腐を作って宇宙「島豆腐」で売り出すのはどうだろう。湯豆腐を酒の肴に、そ

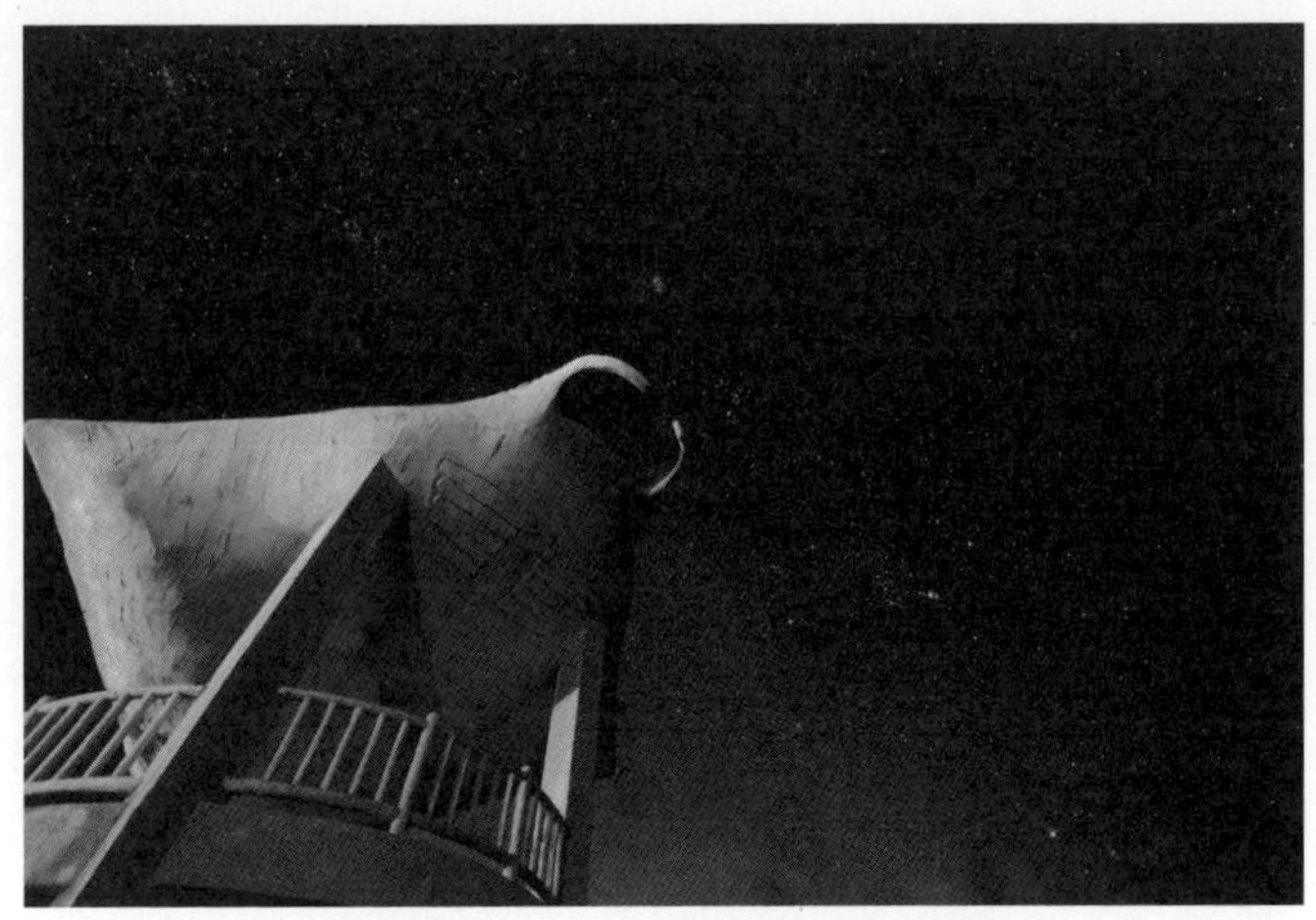

小浜島のマンタ展望台と冬の星座

んなことを思ったりしている。

長寿を願う星

２０１８年12月26日　沖縄タイムス「唐獅子」

今年の冬は、暖冬であるだけでなく、星空も良く見える。亜熱帯に位置する沖縄、特に八重山諸島では、この時期は曇り空が多いが、今年は天文ファンにとっては良い天候に恵まれている。

前回（12日、本書78頁「めぐりくる星」）に紹介させて頂いたウィルタネン彗星が、16日「むりかぶし（すばる）」に近づいた際も、晴れ間に撮影ができ18日の本紙でも紹介して頂けた。

クリスマスの頃には、南の空にオリオン座など冬の星座がイルミネーションのように華やかに輝き、星々の歌声が聞こえてきそうだ。

夜更けには、全天で最も明るいシリウスの下方、南の水平線の上に、りゅうこつ座の1等星のカノープスが姿を現してくる。

中国から伝わる話では、この星は「南極老人星」「南極星」と呼ばれ、この星を見ると長生きをするそうだ。沖縄に長寿が多いのは、この星が良く見えるからだろうか。中国地方の瀬戸内海沿いでは、南の四国の山並みで星が見え隠れして、なかなか姿を見せないので「土佐の横着星」と呼ばれる。土佐出身の私としては困惑してしまう。

現役時代には、鹿児島にも電波望遠鏡を設置したのでよく出かけた。市内に天文館という繁華街がある。ここに薩摩藩の暦編纂や天文観測をする役所があったことから、街の名前になっている。

こんな話がある。昔ある時、薩摩藩から琉球王朝へ出向している役人に、「八重山諸島へ『南極星』というものを観測に行きたいので対応せよ」との命令があった。

しかし、その役人は「観測の仕事で行かれるのであれば、琉球国としても、付き添いや人夫を派遣しなければならず、大変な出費になります。今、八重山は多くの台風被害の復旧で人手もなく、さらに薩摩から年貢の取り立てが厳しく苦労しており、これ以上の負担は無理である」と答えた。

また「薩摩に来る琉球の役人に聴いても『南極星を見た』という者はおらず、八重山で見えるかは保証できません」というのだ。薩摩の支配下にあっても従属はしていないという琉球王国の役人魂を垣間見る対応である。

今年も沖縄は、その魂、アイデンティティの大切さを痛感させられた。カノープスを見ながら、長生きして良かったと思える沖縄であって欲しいと願った

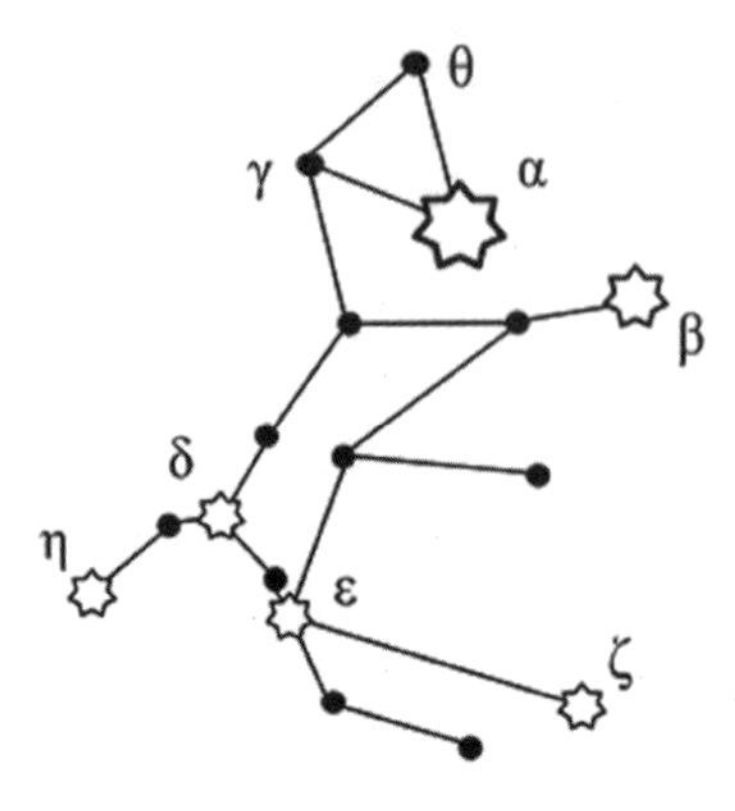

冬の星座／おおいぬ座

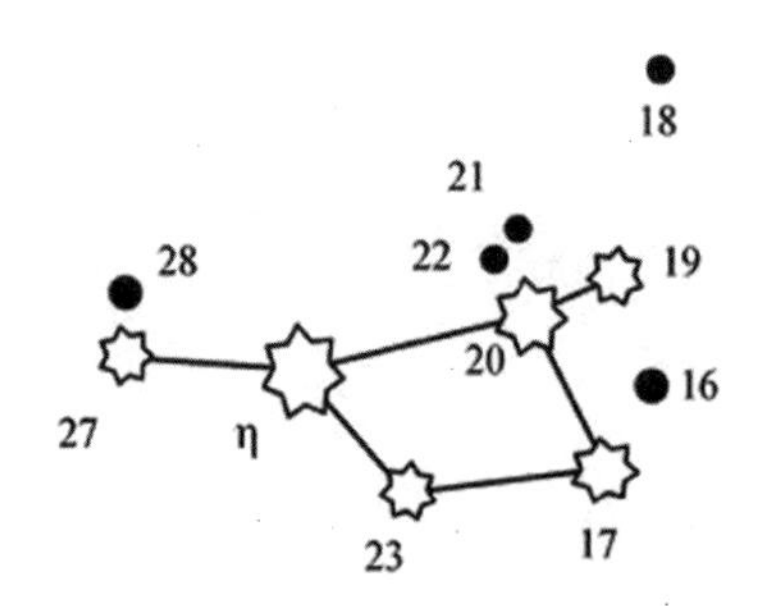

冬の星座／むりかぶし（群星、プレアデス星団、すばる、おうし座）

〈参考文献〉

「宮良當壯全集」　第一書房
「八重山古謡」　喜舎場永珣　沖縄タイムス社
「八重山歴史」　喜舎場永珣　図書刊行会
「岩崎卓爾一巻全集」　伝統と現代社
「星見石雑考」（1〜36）　黒島為一　八重山毎日新聞（1986・11／22〜1987・1／23）
「古歌謡のなかの星」（1〜30）　黒島為一　八重山日報（1987・6／17〜8／26）
「八重山のお嶽」　牧野清　あ〜まん企画
「ばがー島・八重山の民話」　竹原孫恭　自費出版
「おもろさうし」（上、下）　外間守善（校注）　岩波文庫
「日本の星名事典」　北尾浩一　原書房
「アジアの星物語」　海部宣男（監修）　万葉舎
「八重山の星空」「続・八重山の星空」　竹本真雄　私家版
「星の王子さま」サン＝テグジュペリ　倉橋由美子（訳）　文春文庫
「新編・銀河鉄道の夜」　宮沢賢治　新潮文庫

あとがき

あっという間に、石垣島で20年がたった。「ただ忙しく、月日のたつのも夢の中」であったが、退職して、落ち着いてふり返ってみると、よくやったものだとも思う。

東京天文台―国立天文台と勤務して、長野県の野辺山宇宙電波観測所が完成した時は、これで自分の勤めの大半は終わったと思っていた。ところが、ある日所長に呼ばれて、「VERAに行ってくれないか」と懇願され、引き受けたことで、現在に至っている。所長は、野辺山の建設開始の頃、観測所に大学院生としてやってきて、それ以来夜昼なくシステムの立ち上げや観測などをいっしょにしてきた同志で、お互い気心が知れている仲だった。その所長に「宮地さんしかいない」と半分おだてられて引き受けたのが、沖縄での暮らしの始まりとなった。

新しい土地に新しい観測所を作ることは、場所さがし、電気水道といったインフラ整備などからはじまる。地元のみなさんの協力なしにはできなく、多くの方にお世話になった。また、本州から海を隔てた島に新しい大型電波望遠鏡を建設するについては、野辺山宇宙電波観測所の建設で労苦を共にしてきた企業の技術者の方々などが、表からも裏からも支えてくれた。

あとがき

沖縄の石垣島だけでなく、鹿児島県の入来町（現在の薩摩川内市）、東京都の小笠原島、岩手県の水沢市（同、奥州市）、そして長野県の南牧村野辺山などにも出かけた。

そんななかで、何度か地元の新聞社などから「仕事の紹介も兼ねて」と依頼されて、たくさんの出会いやエピソードなどをコラムに書かせて頂いた。本書はそれらを並べ直しまとめたものである。重複する話題もあるが、お許し願いたい。

この間、多くの方々に公私にわたってお世話になった。特に東京天文台に採用して頂き、以来ずっと上司として、同志としていっしょに宇宙電波天文学の道を歩み、労苦を共にしてきた赤羽賢司さん、森本雅樹さん、海部宣男さん、また国立天文台長もされた古在由秀さんの４人の故人には、いつも沖縄での勤務を心配して、遠くから気遣って頂いた。あらためて深く感謝いたします。

本書をまとめるにあたって、背中を押して頂いた八重山の文学者であり、天文愛好家でもある竹本真雄さん、それに出版に際しご苦労をお掛けした沖縄タイムス社出版部の友利仁さんには、末尾になりましたが厚くお礼申し上げます。

２０２０年10月24日

宮地竹史

【ラ・ワ行】

【マ行】

【ヤ行】

【ハ行】

【ナ行】

索　引

【カ行】

索　引

索　引

1．本索引は，本書での重要語句を抽出し単純五十音順に配列したものである。本書での表記通りに抽出したが，読者の便を考え，同意味の異なる表現は〔　〕内に入れ，一つにまとめた。
2．ゴシックの語句は星名または星座名を表している。（　）は読み仮名，または索引作成者による補足説明である。
3．「cf」は参照すべき語句で特に星の方言名の項目で用いている。

【ア行】

著者プロフィル
宮地竹史（みやじ　たけし）

1948年高知県生、石垣島在住
美ら星ガイド・アドバイザー（星空案内、星空保護、講習会・講演会、星空の撮影・写真展、星空関連イベントの企画・立案など）
国立天文台石垣島天文台前所長
石垣市観光交流協会石垣島宣伝部長
八重山文化研究会会員
竹富町観光協会「星空案内人育成講座」講師
国頭村「星空ガイド養成講座」講師
高知県観光特使
高知県立芸西天文学習館講師

著書　四季の星空ガイド「沖縄の美ら星」琉球プロジェクト，2020
略歴
1968年　電気通信大学短期大学部在学中に、東京大学東京天文台（現、国立天文台）に入台。以後、天体電波部、宇宙電波部、野辺山宇宙電波観測所、国内・国際ＶＬＢＩ、宇宙電波望遠鏡「はるか」、ＶＥＲＡ計画など電波天文学分野のプロジェクトに従事。
2002年　石垣島の「南の島の星まつり」等、星空行事を企画
2006年　石垣島天文台完成、副所長。2013年所長
2016年　国立天文台退職
2018年　沖縄県観光功労者受賞（表彰）。

星の旅人

沖縄の美ら星に魅せられて

2020 年 12 月 10 日　初版第一刷発行

著　者　宮地竹史

発行者　武富和彦

発行所　沖縄タイムス社

〒 900-8678　沖縄県那覇市２－２－２

電話 098（860）3591　＊出版部

http://www.okinawatimes.co.jp

印刷所　有限会社サン印刷

ISBN978-4-87127-273-5